国家出版基金项目
NATIONAL PUBLICATION FOUNDATION

《三联经典文库》

第二辑

2012年国家出版基金项目

三联经典文库

176

爱迪生传

伍况甫　译

生活·讀書·新知 三联书店

图书在版编目(CIP)数据

爱迪生传 / (美) 布赖安著 ; 伍况甫译述. -- 北京
: 生活·读书·新知三联书店, 2014.1
（三联经典文库第二辑）
ISBN 978-7-108-04684-0

Ⅰ. ①爱… Ⅱ. ①布… ②伍… Ⅲ. ①爱迪生,
T.A.（1847~1931）-传记 Ⅳ. ①K837.126.1

中国版本图书馆CIP数据核字(2013)第246634号

176 爱迪生传

责任编辑 戴云波
封扉设计 蔡立国
责任印制 郝德华
出版发行 生活·讀書·新知 三联书店
(北京市东城区美术馆东街22号)
邮　　编 100010
经　　销 新华书店
印　　刷 北京鹏润伟业印刷有限公司
版　　次 2014年1月北京第1版 2014年1月北京第1次印刷
开　　本 787毫米×1092毫米 1/32 印张 8.625
字　　数 119千字
定　　价 32.00元

《三联经典文库》出版缘起

适逢生活·读书·新知三联书店八十华诞，为弘扬传统，接续文脉，回报读者，服务社会，我们决定策划出版《三联经典文库》。

1932年7月，生活书店在上海创办，此后，读书出版社和新知书店相继成立。本文库第一辑、第二辑所选图书，来自于这三家出版单位及其分支机构，以及1948年生活·读书·新知三联书店成立后的出版物，始于1932年，截至1951年，两辑各一百种。此为第二辑，涉及政治、经济、社会、军事、思想文化诸领域，涵盖专著、文集、散文、小说、诗歌、传记、报道等体裁，既有直面现实、追求真理、讴歌真善美、抨击假恶丑的原创作品，又有引介世界各国先进文化、传播新知、开启民智的迻译之作，真实记录了那一代知识分子的思考与探索、理想与愿景和对中华民族文化传承与创新所做出的努力与贡献。

本文库所辑入各书，多为名家名作，在版本方面，以初版一印本或经著译编者审定、修订、增订过的版本为首选，因此本文库又具有较为珍贵的版本价值和收藏价值。

本文库还将编选续辑，使之成为恢弘文化工程。诚挚希望读者给予批评和指正，帮助我们完善编选工作，再现三联经典作品之风采。殊为遗憾的是，由于年代久远，一些原著译编者及其后人未能取得联系并奉付稿酬，诚盼版权所有者与我们联系。祈愿三联前辈所创造的精神财富能薪火相传，为中华文化的伟大复兴增光添彩。

《三联经典文库》编辑委员会

2013 年 8 月

凡　　例

一、本文库为重排本，由繁体字竖排版改为简体字横排版。

一、以忠实于原作、整旧如旧为编辑原则，对当时使用的专有名词、外文译名，以及民国时期的语言和特色予以保留。

一、原书注释如旧，编者所出的注释，均以“编者注”标明，以示与原书注释的区别。

一、对原书残缺或字迹漫漶之处，以□示代。

一、对繁简文本转换时的“如右”、“见左”一类，对应改为“如上（前）”、“见下（后）”。

一、对原书中各种错讹脱衍之处，直接订正，不再以其他符号标示。

一、对数字、标点符号的用法，在不损害原文语义的情况下，做必要的规范。

一、本文库各书均前插原书书影、原书版权页和文库版“本书出版说明”。

一、本书出版说明的撰写，以客观中立为原则，扼要介绍本书的内容、版本流转、著译编者的情况。

本书出版说明

本书由我国现代著名翻译家伍况甫根据布赖安（George S. Bryan）所著《爱迪生，其人和他的成就》译述而成，共十六章。本书通过对美国著名发明家爱迪生成长经历的翔实回顾，通过记述与描绘爱迪生穷尽心血、费尽心力所取得的众多对人类的生活与社会进程产生重大影响的发明或改进成果，诸如白炽灯、蓄电池、留声机、电影照像器、水泥等，表现了爱迪生对科学的颖悟与热爱，凸显了科技在介入人们现实生活的过程中所取得的成就与走过的曲折道路。书中还对爱迪生独特的天资禀赋与崇高的品格境界，以及爱迪生在生活和事业工作中所具有的人格魅力进行了赞颂，从整体展现了社会公众对他从逐渐认可到高度景仰的过程。

本书由上海生活书店 1933 年 1 月第一次出版发行，

本次出版即依据此本。

本书译者伍况甫，生平资料不详，为我国现代翻译大家，曾翻译出版有《历史上的科学》（贝尔纳著，科学出版社1983）、《原子与电子》（萨力凡著，商务印书馆1933）、《史前的地球》（E. 裴立尔著，商务印书馆1946）等，在科学普及与科普文献的引进传播方面做出了重要贡献。

生活·读书·新知三联书店

2013年8月

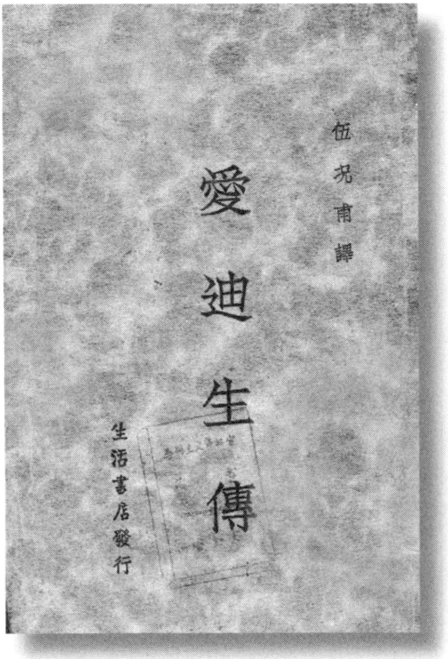

生活书店 1933 年 1 月初版书影

愛迪生傳

每冊實價陸角
外埠酌加寄費

編譯者　伍況甫

發行者　生活書店　上海法租界陶爾斐司路

印刷者　生活印刷所

民國二十二年一月初版

原书版权页

目次

爱迪生传例言

一　本传大体以布赖安 George S. Bryan 著 *Edison, the Man and His Work* 为依据而间由译述者加以去取。

二　关于爱氏一生事迹颇多夸大失实之传说，布书多为一一厘正，广事引证，不厌求详，故堪作爱氏信史读。

三　爱生平发明綦繁，大小重轻各不相侔，兹就其最艰巨最有用者分章专述，而并其比较次要诸种为一章，以清眉目。

四　爱氏稚年作为多张异日成功之本，故特再三致意，不惮缕陈。

五　爱氏除发明工作外其持躬遇人、因材施用亦多长足述，爰为充量发表，庶示实行家以模范。

六　爱氏生平言语颇多针砭时病之处，爰亦多录此类，俾励进青年奋斗之心也。

七　原传颇富轶闻谈屑，东鳞西爪，每见当时美国各界对新发明事业所持态度，可予读者以甚精确之时代背景也。

八　一切科学专名皆按标准译制，期诸一律，其原书故用通俗名称处，则亦随众，而不过求准确，亦谈话体所不忌也。

九　原传断至一九二六年止，其最后数年信史尚缺，未便擅补。

十　书中包罗专门科学不少，译述者除恐闻见未周，竟致陨越，是在大雅匡教耳。

民国二十一年七月十九日　译述者志

第一章　缘起

美国爱迪生氏一门，约于一七三〇年自荷兰迁往。初履新泽稷省（New Jersey）依利萨伯埠（Elizabethport）；随内迁至科德卫尔村（Caldwell），距海数哩，作久居计。

族人多享遐龄。有名托马斯（Thomas）者，寿百有四。美国革命时，托拥护联邦至力。其子约翰则忠于英室。革命后，约与同党归坎拿大。先抵诺法斯科细亚（Nova Scotia）。一八一一年，复移贝飞尔德（Bayfield）（今安剔厘阿 Ontario 属）。英政府欲吸收顺民，故招此辈来坎，予以田亩，不计值。约翰受地六百亩，亦安之。后再迁伊利湖（Lake Erie）北之维也纳（Vienna）。

约翰之子撒母耳（Samuel），在维设逆旅。撒以一八〇四年生于诺法斯科细亚低格比埠（Digby）。一八二八年，娶苏格兰人后裔，浸礼会牧师约翰厄力奥特（J.

Elliot）之女，维也纳中学女教员南锡（Nancy）为妻。时南方十八。约翰爱迪生久寓维也纳；一百零二岁方没。撒母耳则以不得已之故，往投美国。

时坎拿大政客麦肯基（Williain Lyon Mackenzie）深病上坎拿大政治不良，欲以武力改善之。强执其民政长，遽宣布临时独立。惟徒党太少，筹画未妥，竟完全失败。撒身高六尺，体力饶健，充麦部下队长。麦既败亡，撒亦遁美，传言跋涉一百八十哩之遥，未尝饱食安眠。此而可信，则与逢氏（Danlel Boone）逃出勺泥人（Shawnees，红种一部落）手，四日夜穿林一百六十哩，仅得一饱者，足以媲美矣。撒明知坎政府必籍其产，不敢归。别于美境谋生。一八四二年，止于俄亥俄（Ohio）之米兰（Milan）焉。

今日之米兰，窄小幽蔽，安于一隅，与附近小村落等耳。方场，军人纪念碑，与整俏居屋外，别无足述。盖已非实业要区。顾撒之止此，情状与今大异。工商各业，皆方兴未艾。自位置言，诚足发展。彼时俄亥俄省所出麦，无铁路为之东输，惟赖休伦河（R. Huron），自省北导入伊利湖。而米兰适据河上，去湖不远，河虽非全通舟楫，但米兰至隆克武（Lockwood）间，曾凿短运河。而自米可直入湖。运河上又设粗陋仓屋。于是四乡马车麇集，争取道于此，以输麦。帆船容至二百五十吨者，日盈廿艘，浮河而下。造船等业，随兴。地益殷阗。撒之寓此，计至得也。撒以手工制屋顶板。坚固耐用，购者日多。每佣数人，以供需求。

一八四七年，二月十一日，托马斯·阿尔发·爱迪生（Thomas Alva E.）诞生于米兰。米兰正繁盛，托至七岁，未尝离米。阿尔发一名，非所以纪念妄事镇服荷兰人之西班牙阿尔发公爵，乃袭自撒母耳之友人，五大湖上巨船商卜拉德赉船长（Captain Alva Bradley）者也。爱氏故居，至今犹存。砖建甚坚实。土人辄指示过客。[1]

爱氏幼孱弱。家人恐其不能入学。孰意长而极耐劳役，竟博不知疲倦之号。儿时沉重守旧。然好制造玩具，好严词质问。盖已解观察与钻研矣。一日，见母鹅孵卵。翌晨自匿鸡埘中，坐鸡鹅诸卵上，欲待雏出，家人遍觅，

[1] 俗屡称爱系阿兹忒克 Aztec 种族（原建墨西哥国之红人）之后。一九二三年，三月十三日，《纽约民报》（New York Tribune）摘录三月十二日墨西哥城某报所载此项怪说，而加按语曰：爱之个人代表麦多克洛夫特（Meadowcroft）曾言此说绝无实据。

始得。大异之。

又数冒险。尝登米兰麦仓，失足陷麦堆。久挣始脱。几窒息不救。尝助他童治冰鞋之带。手按，而听他童运斧。遂断指尖。尝堕运河，垂溺死。最顽莫如好奇心发而纵火于邻仓之内。仓立焚，爱亦立被鞭笞于广场上。其他不一而足。爱氏有姐妹行名坦泥（Tannie），后适贝力（Bailey），及兄弟行名威廉，皆无可述；且与爱之长成无甚影响云。

已而铁路公司与米兰资本家磋商，欲通车至米。资本家初过信运河，不之纳。既而悔之，则他市俱已享轮轨之利，麦亦随去。米兰从此一蹶不振。运河就湮，植物丛生，几失故道矣。

撒更谋他迁。一八五四年，至密执安省（Michigan）休伦埠（Port Huron），营粮业，兼贩木材。埠在休伦湖下端。当黑河 Black River 与圣克雷耳河（St. Clair R.）相会处。三年后，发展成都市。百业日进，而撒亦善与俱进。

第二章　幼年实验家

爱迪生至休伦埠后，曾入学三月。其后即未尝更受正式教育。晚年自谓，在校日，成绩恒居殿。尝有视学莅校，其师以爱昏愦报。牛顿，瓦特，儿时皆不甚了了。英国大化学家德斐 Humphry Davy 幼年亦然。其师后语人曰：吾之傅德也，初不审其有异于常儿。是皆大器晚成者欤?

爱母干练多识，曾受完好教育。以躬执教鞭，故颇不满于其时其地之学校内容。闻亲友目爱为昏愦，辄痛恨。盖自信其子非庸才（恐不免稍囿于爱子之成见）。于是亲授子课，悉依个人方法，并使多读名著。爱未满十二龄，竟毕吉本（Gibbon）《后罗马史》（*Decline and Fall of the Roman Empire*）及休谟（Hume）《英国史》等巨作。于小说甚鲜问津。每竟一编，能识其义。其父辄稍奖以金。对牛顿格物原理（Principia），师徒皆不能领略，则交相攻击之。爱终身不长于数学。其后实验中，每遇棘手算题，皆委诸助手。

然好体验，则自天生。其效鹅孵卵，固已兆之。至是见重碳酸钠沸腾散（Seidlitz powders）着水即变气体，以为可使人腾空。因诱家中所佣荷兰小厮奥次（Michael Oates）吞服大剂。奥服后，痛楚难当。家人廉得其情，出挂钟后所藏软鞭，痛笞爱。后爱读帕刻（Parker）著博物课本（School Philosophy）。系当日通行物理教科书，多载实验。几一一仿行无遗，嗣后每见自然科学书籍中，述一定理，必实行覆按，而后信。

爱自设实验室于窖中。列瓶二百。悉标“毒”字。爱氏后尝语人曰：余母与余，有时意见相左，尤以当余试验杂陈众物之时为甚云。爱母命子迁地，爱不愿。其母卒允之。但戒其随时慎藏诸物，而严局之。爱每得零用费，多向当地药肆购化学药品。见者方谓其将成分析化学家，不料后乃以物理显。及其规画白炽灯，蓄电池等，果大受赐于幼年化学基础。

爱因需款添置药品，遂商得父母同意，投身休伦与底特律（Detroit）间大干线铁路，为报贩。每晨附七时开向休伦之慢车，更自底特律归，则在夜九时半。往返一百廿六哩。然此尚非爱之初次职业经验。其先已偕奥次驾小马车贩售其父田中蔬菜，一年获六百元，献诸其母。

爱自言“余在火车上贩报数月。即于休伦设一杂志店，与一蔬果乳油店，由二童子料理，并分享余利。杂志店童子善舞弊，余寻闭其店，而仍营他店业，几一年之久”。

此路有快车，晨发底特律而晚归。爱商准局人，派报贩随车往来。未几又添开移民车，每日一次。爱自言“此列车计客车七至十辆，几全载那威人赴衣阿华（Iowa）与明尼苏达（Minnesota）。余雇童子，专在此次车上售面包，烟，及条糖”。是皆十二龄童所为也。

已而南北战争起，报纸畅销。爱遂放弃蔬菜业，而独理报业。一八六二年，约四月八日顷，爱见底特律各报社揭牌前，聚众特多。盖传闻田纳西（Tennessee）示罗（Shiloh）地方方战罢，双方死伤达六万云（实只二万）。一时人心鼎沸。爱忽为所感，驰往大干线车站，恳求司电员通知休伦及沿线各站。

爱自述曰："司电员果发电，并乞各站即于行车时刻牌上公布之。余自度平日售报百份，今可十倍，顾无钱购此巨数何。遂决意求诸主笔，试为赊帐（爱所投报社名《底特律自由报》*Detroit Free Press*）。余入办公室，遇二人。即自陈已向各站发电，顷须批去报纸千份，惟只能付现百分之三，余请记帐云云。一人拒绝，一人许之。余乃偕他童挟报登车，然后折之。首站曰攸替卡（Utica），向只售二份，是日月台人满，若大队旅行者。余一下车，购者纷集，竟售卅五，电报奏效矣。"一路各站，莫不畅销。爱自谓"余于休伦站前四分一哩许，早垫软沙，专备跃下。习以为常。奥次牵马迎余于此，作归计。是日甫入城边，已逢多人。余大呼余报无多，每份二角五分。随即售罄，满载而归。彼时固已认为空前厚利矣"。

爱每日必奉母一元，而几尽耗所余以置化学药品与仪器。时慢车行李房适分三间，一载行李，一载邮件，一原供吸烟休息，而独废弃。爱请于车守，得占用之。除陈列报纸，杂志，糖饵，炒玉蜀黍等外，更迁其实验室焉。从兹车上药瓶，电池，试管等物，逐日增加。又向底特律购化学药品，较休伦所得，范围大增。复备德教授夫累森尼阿斯（Karl Fresenius）定性分析之译本，作参考基础（夫别著定量分析一编，并流行甚广）。爱即于火车簸撼中，寻其研究生活焉。底城某肆主名浦尔曼（George M. Pullman），后以制造浦式铁路卧车（Pullman Car）闻。爱得其助，为制器若干。

车上复设小印刷所，刊行《周报》（*The Weekly Herald*）。盖爱窥见民众渴望早知消息，因起而尝试。又得常与铁路电员接近，每能捷足先登，底城报社反落其后。爱之印机购自底城，原供印刷旅馆菜单用者，外加铅字若干，居然敷用，是亦爱之天赋巧思所致也。报价每期三分，每月八分，每月销至四百余。举凡访员，记者，主笔，排字，上板，印工，学徒，广告员推销员等职，咸一身当之。试想爱之稚龄，车厢窄隘，诸多不便，而竟能自撰，自印，自售，不可谓非奇功也。

然爱之精进心固远不止此。寻又倾心电学。大约因偕窗友同观电报局后而起。此友与爱同好，相约于两家之间，设一电报线。彼时非职业之电学家无从购置正式电料，不得已乃就日用长物，尽力改造，而利用之。线则取诸火炉架；上绝缘器则取诸玻瓶；沿途就树钉钉，无树，则植细木杆以代，钉上悬瓶，遂架线。更碎铜片为钥，裹败絮以护电磁导线。又因欲得最廉电流，甚至捕猫而擦其身，冀有静电可供通报。猫乌肯听命，爱终于从众，仍借电池。

爱父限爱十一时半就寝。而爱每夜须九时半方返休伦。深苦实验时机太促，于是运用其发明力以解脱向例。爱每归必携剩报供父披览。至是讬词自探消息，不复携剩报归，而留置知友家。即从电报线上廉得诸新闻，以告父。父奇之，坐读其子译出楷书，不觉漏沉，往往翌晨一时始归寝。于是十一时半就寝之令，正式取消。爱仍携剩报归如常，自是得与其友从容研习。遂谙电报要则一日，有牛误犯电线，而报务大阻。虽未闻爱确曾易线，然爱得自第一线之学识与经验，竟为异日电学界绝大成功张本矣。

车上报馆与实验室已臻发达，不意突遇无妄之灾。缘彼时美国铁路，铺设多未完善。一日疾驶过某段，行李车忽大晃，架上磷条被震落，因摩擦而自燃，发强白光，车板遂炽，爱急谋扑灭之。适车守驰入，沃水熄火，得未延烧。车守素知爱谨慎，且善用其利权，早已允其试验。至是暴怒之余，不能自持，竟不谅爱之无心，猛击其耳。迨车抵次站，勒令下车。且尽掷印机，仪器，药品，于外。

爱耳受创，终身重听。然自庆聋亦有其利，则能防己分心，并促己潜究诸助听器。如改良柏尔（Bell）式电话机，用碳屑发话器，及增进留声机之构造，皆图为聋人特别便利起见也。

爱重设实验室于家中窖内。惟预先声明，不置危险物。复迁回印机，续刊周报，如是相安无事。后经少年友人指点，扩充篇幅，更名《问到底》（*Paul Pry*），专谈休伦人物。不拘小节，以是开罪一人。其人怒仆爱于圣克雷耳 St.Clair 河中。无何报亦停版。爱深嗜撰报。然其毕生事业固非限于此者。

爱每抵底城，须候归车时，辄入公共图书馆阅览。初不仅属意化学，直欲倾一架而尽吞之。

此外休伦干线工厂亦投爱好。偶遇和善司机员，许其小试驾驶机车。其后述及机车，曾效时人口吻云：“遍体尽光亮黄铜管；木件皆髹饰至美；机件必揩拭至光泽。至今思之，殊觉趣然。”（爱所驶者系慢货车。）先一日，铁路人员开联欢会。司机与火夫皆狂舞终宵。爱自谓“是日车行才十五哩，二人倦极，竟允余代庖。余恐锅水减少将爆裂，以是战兢从事。未二十哩，烟囱喷发黑泥浆，遍污机身及余身。余乃驶入一站，停车。绕至清道箕上，启汽柜之油缸，欲灌油。不意汽突出至猛，且作巨响，几推余坠车。余幸能掩油缸。复登机房。不顾油之足否，听车前进。日后方知火夫欲加油，司机必先闭汽门。然余自经此失，观察更精严矣。”爱车犹未抵目的地，烟囱又出泥。寻知因防锅干而加水太满。水溢入烟囱，致冲出积泥耳。爱未尝继续攻究汽机之学。惟入后实首创电力机关车。

治事之余，不忘嬉谑。休伦近处旧驻军队。一八五二年，撤去。内战起，增派义勇军。每夜哨兵传递呼号，唤出伍长。爱与唯一常随伴侣奥次习听为常，思有以弄之。某夜，晦暗异常。爱引吭效其呼号。（下爱自述）“第二哨兵信为前兵所发，应声随呼，以次传至伍长。伍长步出半哩外，方知被绐。如是试行三夜。末夜，哨兵闻声寻视，拘荷童奥次而禁之。并逐余至家。余窜入窖中。窖有二桶，盛马铃薯。另一桶，垂尽。余急倾余薯入他二桶，举空桶自覆，静坐地上。哨兵已惊醒余父。共明火大索。伍长确见余入窖。因诘余父，窖中有无密室。余父答曰无。伍长无奈，始去。犹称奇不置。余蜷伏移时，饱中腐薯之臭。至是深庆若辈早去。”翌晨，奥次始被释归。嗣后，爱无心再犯军人矣。

当爱为报贩时，英太子即后之爱德华第七（Edward VII）出巡坎拿大，并游历美邦。休伦圣克雷耳河隔岸坎境萨耳尼亚（Sarnia）筹备盛大欢迎会。爱偕多数休伦童子渡河参与。据爱自述：“我侪中有不服英太子之威望者，以为太子亦犹常人。深悔空劳跋涉。既而坎童与美童争殴。美童大败。余亦伤目。”某年圣诞节前一周，爱特备食料甚丰，藏诸火车上。不幸车出轨。旧车四节，底框皆朽，立遭粉碎。轨上遍滚葡萄干，海枣干，无花果干，糖饵等。爱心惜之，一一俯拾，纳口中，欲不使稍失。爱尝谓“余家所包医生寻为余疗腹疾，忙碌无少已，足使余毕生不忘也”。

第三章　初掌电钥

爱之被逐出火车，盖在克勒门兹山站（Mount Clemens）。别有一事，关系爱之日后成功历史者，亦发生于此。一八六二年，八月某晨，爱立于克站月台，候其混合列车支配各辆货车，约需半时之久。有一篷车从分轨被抛入正轨，无人司机，仍自行驶。爱忽见一儿方戏于轨上。识为站长麦肯基（J. U. Mackengie）之稚子。急掷帽并弃手中纸束，直奔轨道，援儿出险。及爱跳脱轨道，车轮正触其踵。

麦肯基素重爱之为人，因收而授以铁路电报术，聊酬援子之恩。爱大悦，即本其已有模斯（Morse）电符知识，施诸实用。携其原在底城枪厂所自造小机至克站。并划出克底两站间一段，归其友。

教师认为宜多授铁路专用符号通报术。例如车行失事，或伤毙人命，则发“23”为号。遂成当日俚语“不祥”之代表。爱研习未久，即弃报业。因得日究电报术至八时之久。时爱体已至健，治事不疲，渐启后来之特征。未四月，尽得师传。遂正式改行。从此茹苦六年，备增经验，卒于电学大加发明。[1]

爱先设一线。自休站达休镇，约长一哩。于镇内某药肆置一小电报房。然正式电局本足应用。私局寻废。未几爱奉调为正局电报生，局在倭克尔（Walker）珍宝肆内。倭为一镇能人，兼电局经理，且售报章杂志。爱即眠于局中，以备急需。夜深以迄凌晨，报社消息辄经

[1] 一九二三年，九月九日，《纽约时报》（*New York Times*）：“曾授爱迪生以模斯电钥之‘最老电报生”作古，年七十九。即窝德（Joseph Clarence Ward）也。窝身任南北战争时格兰特将军（General Grant）总司令部电员。后充加省维萨力亚（Visalia）电局电员。迄该局停办，始退休以九月七日卒于维。盖已掌电报六十年矣。方爱为火车报贩时，窝适在克勒门兹。爱日日过克，得从学模斯电符。”又 *Collier's* 杂志先此曾论及窝曰：“世论每囿于成见，致窝不能列于高位。顾窝为人忠诚和善，实予今日全国爱戴之一人以成功机会者也。数十年前，窝在克站司电，日费十余分钟，教一蓬首童子以模斯电符，孜孜不倦。童子何人，即今日鼎鼎大名爱迪生也。”作者（Bryan）疑为传说非真曾特询爱之长期助手麦多克洛夫特·麦，向爱询得真情。据爱曰：“授余电报术者，麦肯基也。窝与麦为内亲。窝确于内战时充电员。曾寄居麦家度节然未尝为余师。”

其中一线。爱得偷抄为乐。新闻电固较商电难理。爱因此练习，得增进功率。其一心求精进，有如此者。彼时司电能手，固以得司新闻电为擢升要途也。

休局虽非繁要，然待发之电往往悬于钩上，不见人发。盖其人已匿倭之窖内，试验化学，或潜往药肆市原料矣。倭后语人，谓爱天性酷好实验。倘见修钟表师案上陈有适用工具，直可信手攫去，以济急云。然爱初未尝忘其目的所在。往往实验完成或定理证确之后，便散弃全组仪器，暂不之顾。一八四五年，《科学的美国人》（*Scientific American*）杂志出版，爱最好读之。

无何爱自荐于大干线当局。获安剔厘阿斯特拉福得岔道（Stratford Junction）夜报员之职。羽翼丰盈，独当一面。时一八六三年，爱正十六龄，竟能为第一次新发明。路规，夜差自下午七时至翌晨七时。夜九时后，每时须发“6”字符号至车务室，证明电报生清醒，谓之“六字符号”（Sixing）。自爱到差后车务室按时得“Sf”（即斯站简名）发来例行符号。惟渐觉有异则符号分明通来，而紧接去电，常不得复。盖爱以日间研究太久，入夜需眠。遂于电线与时钟间，连一缺口轮。迨报务稀少，则开钟。每一时内，轮自动拨发例行符号一次。而本人偷眠甚安。已而事觉，私人颇有赞其颖慧者。顾格于官规，终以作弊论，不能不加训斥。

居无何，爱以事忽离坎拿大。据彼自述“某夜，余奉命扣一货车。余答以遵办。即驰出寻信号夫。夫未至，而车已过。余复奔入电报房。报告无从扣车”。时下站发车员已许一列车开来。“余知两站间，近岔道处，另有一站房，为日班信号夫宿处。因疾走往寻之。夜晦，行急。误堕沟中，不省人事。”幸两车司机皆警练。及时各自停驶，得免巨灾。爱虽未失职，然多伦多（Toronto）总局经理卒传爱往对质。爱乘访客与经理攀谈时，潜逃出室。赴大干线货站。遇一车守，方将押货车往萨耳尼亚。车守固识爱，因载以去。爱得渡归密省境，心始释然。爱不复入；坎然理电报业如故。

第四章　中西部电报生涯

爱居休伦甚暂，又投湖滨与南密铁路（Lake Shore and Michigan Southern Railway），为密省东南隅阿德立安（Adrian）小城段长室司夜报。从此奉调各地，与电钥相亲者，几五年。

一八四四年，五月廿四日，模斯所发明电磁电报始正式供商用。为用既广，遂予上进青年以日新月异之机。司报工作不惟引人入胜，更易助人发展。似卡内基（Andnew Carnegie），垦喃（George Kennan），凡和耳涅爵士（Sir Willaim Van Horne）等，皆电报生成名，至后升重要路员者更众。

内战一起，各军纷召电报生往司军报。联邦军队方面平均征用一千五百名，多聪明诚实之士，格兰特将军《回忆录》第五十一章记军用电线设置法甚详，尤称颂电报生之功不置。谓为智勇双全，纪律严明。

战期中，双方吸收电报生既众，民间所余无几，北部尤乏。爱初莅阿德立安时，重要电局辄患事浮于人，而巡行电报生所以到处受聘。战平，军中电报生生存者，多复故业。惟制造发展，实业勃兴，西部又广辟铁路，一时需要继增不已。至一八七六年，电话产生，始一变。

美国电话事业之发展，远速于他国，而爱与有大力。一八七三年，经济恐慌后，商务与铁路衰落，电报亦受累，至是更不复膨胀。员司盈额，机会大减。上进之士认为无可恋。而爱亦完毕其旅行电员生活，别谋发展矣。

计爱所至为印第安纳省（Indiana）威因（Wayne），与英的安纳波里（Indianapolis），辛辛那提（Cincinnati），孟斐斯（Memphis），路易斯维尔（Louisville）等。北抵底特律，南征新奥尔良（New Orleans）。复返路辛。未几，归休伦休假。再走波士顿盖已遍历中部诸省，始归于东，充末次电报生。在英城时，投西方联合电报公司，嗣后即不复任职于铁路。

一八六四年，爱甫接阿事时，电业已臻稳固。据西方联合公司报告，在一八六八年六月底以前，一年度中，该公司独辖局三千二百十九所，辟路五万零一百八十三哩，架线九万七千五百九十四哩。设备器具等，虽已非草创日之粗劣比，惟爱本人仍以为未善。绝缘法尤幼稚，遇雷雨，每多阻。当爱首莅路城，见俄亥俄河中通辛城之水线，时漏电，多少无定，使电流强度大起落。再加以陆线之种种恶作剧，而通报大难。及爱二度至路城，电线更腐败。每接一新闻电报，电符不明者，比比皆是。须凭揣测，甚或杜撰，增入五分之一。一九一一年，二月，《四海杂志》（*Cosmopolitan Magazine*）本孙氏（A. L. Benson）引爱之言曰："余之私造电文，小误甚多。幸只为人发觉一次。余司报三月，习而安之。余记忆力强，欲多晓时务，遂逐夜挟交换电文归。卧读至翌日上午二时，以为常。"

"维基尼阿省（Virginia）方选上院代表。波次（John M. Botts）为逐鹿中坚分子，惜得票尚未足。连选数日，忽传反对尽撤，明日必入选无疑。及期，余接里士满（Richmond）来电，至波次名甫毕，而线忽断。余自作聪明，妄加'入选'字样，而公布之。各报争载。越日又争为更正。盖波次实终失败云。"

今日电局固未足与言侈逸。而在常年，则直凄凉。爱初至路城时，该局状况可为全国代表。局址虽在通衢，屋宇则就倾圮。仅占二层楼上。电报生室陋且污。拥一小炉，通长曲烟管。仰顶之垩，剥落三之一。贴墙置小案十数，设报机。开关板甚小；连以弱铜线，朽败不堪。开关板之黄铜件，久经空气蚀锈；加以闪电击线，当生金属电弧，痕迹斑然，从未拭净。至电池室，益不堪寓目，满地旧电报成束。旧记录册成堆，中立一架，藏旧式浓硝酸格氏（Grove）电瓶百枚，组为一电池。硝酸浸蚀木架与地板，并冒烟雾，使人咳呛。

至于电员宿所，不约而同，咸为低价陋室，无怡心悦目之设备可言。爱曾形容其卧室为“昆虫学家之乐土”。其官饭为“治疗肥汉之卫生膳食”。大局电员易放纵无节，甚至极端荒唐。然常另具一种浪子哲学观。时因需要方殷，社会不敢藐视。遂以为侈浮尽自由己。故薪金虽比较优渥，人人债台高筑。爱初抵辛城，局中有此类一人，忽去之科罗拉多。数月后，爱偕夜班方勤于职守。上午二时许，突闻铁罐坠入报房。而科省归客随入。言于众曰：“诸君，余方自密士失必河西寻乐返。

请观余之全部财产，悉藏此金属行箧中。”启视，则一纸领耳。

一八六五年，爱于辛城初识亚当斯（Milton F. Adamns）。为一天生好迁移之人。其后四十年，仍奔走天涯，到处司报，乐此不疲。爱与亚缔交，呼为“Milt”，视为谈笑之资。又有罕克波加达斯（Hank Bogardus），通称“Bogie”，亦趣人。一九一四年，爱语老电员菲力普斯（Walter P. Phillips）曰：“罕克善人，司报尤佳。二年前曾来西奥伦治（West Orange）向余假五元。余予之。盖孰能见此善人而不顾哉？罕去后三四日复来，竟流落为行丐状，口臭如尸，索金十元。余不允曰：汝其将五元去。汝口中嗅将使汝牺牲五元。且汝得钱必速离奥伦治。罕坚索十元。然余不为动。厉声曰：余断不能助长狂饮之风。罕无奈，怏怏而去。”[1]波虽多才，卒冻死货车上。此辈漂流电员，与印刷业中游方手民，真乃同志，惜皆成往迹矣。

电员中最高尚者有如垦喃。垦以一八四五年生于俄

[1] 见一九一四年，十一月十四日，《电学评论与西方电师》（*Electrical Review and Western Electrician*）杂志，菲氏所著《爱迪生，波加达斯，与石碳酸》（*Edison, Bogardus, and Corbolic Acid*）一文。菲一八四六年生，一九二〇年殁。发明菲式模斯自动电报。曾供职科伦比亚留声机公司。

省诺耳窝克 Norwalk，距米兰仅四哩。故米为其常游地。其习报术，并司路报，均在诺。一八六三年，八月，入辛局。寻升副经理。翌岁十二月，解职，赴西比利亚督办俄美电报公司工程。后入东高加索山脉探险。返美，任华盛顿联合报社夜经理。一八八五年至一八八六年，受聘于《世纪杂志》(*Century Magazine*)，往北俄与西比利亚，调查戍地情形。行一万五千哩。成名著曰《西比利亚与谪戍》(*Siberia and the Exile System*)，分载该杂志。一八九二年，另刊单行本，凡二册。博得"最详赅最敢言"之称。其后垦复任《旷观》(*The Outlook*)杂志基本通信员多年。西美战起，赴古巴访查。日俄战起，赴东三省观察。别撰《古巴战史》(*Campaigning in Cuba*)(一八九九)，《俄国之谬误喜剧》(*A Russian Comedy of Errors*)(一九一五)，专记逸闻趣事，及《哈立曼(E. H. Harriman)传》(一九二二)二册。一九二四年五月十日暴卒于纽约省麦狄那(Medina)。据一九二四年五月二一日，《旷观》杂志之评论，及一九一九年十月一日，同杂志厄尔兹卫司(W. W. Ellsworth)投稿，称垦为美国公民最佳代表之一。思想清明而稳健，实可爱煞人。

其于美国政治上之影响，远过常人所传。对于德拉瓦省（Delaware）阿狄克斯运动贿选为上院共和党议员之丑史调查明白，尽量揭破。尤属报界至大文笔之一。自见《旷观》杂志后，舆论哗然。卒使阿不能安于其位。方垦之搜求真相，不知费尽几许心力。及其按理推循，而下断语又勇往直前，不逾正轨。真令人佩服至矣。

垦尝致书著者曰："余与爱年相近，居相近，职相同，而竟无缘相见。直至俄亥俄社交会席上，始得于电报中与之结识。是时爱居上宾之列，高坐台上。旧日电报生五六辈共据一案，于广室正中，设一临时电线，通至台上。而爱亦备有电钥与音乐器，演词中辍间，一电员就问余欲与爱一谈否。余以彼此诞生地仅在四哩内，而七十余年来竟未谋面。因急应曰然。遂从其电话中自介于爱。余已五十年未亲电钥。余料爱亦必久疏。然会谈竟较后来面洽为顺遂。则爱之聋并未深至不辨音响器也。[1]

[1] 一九一五年，十月三十日，《电学世界》（*Electrical World*）记十月十九日爱参加旧金山之巴拿马太平洋博览会，电报同人盛宴为上宾。凡演词悉由音响器传出，各案间皆连电线。各案皆备一音响器与总电流相通。而爱前别设一共振器。故爱除与人谈话外，并能听得全部演词，为空前快事。爱复发短篇模斯符电文，致同席诸人。

著者承垦允许，得引其为俄省诺城淮耳兰兹史学会（Firelands Historical Society）所作自传中原文。垦既善观察，复精描写。所述一八六三年至一八六四年，辛城电局状况，极饶价值。可助今日读者领略当年爱为电报生时之风味。盖垦以一八六四年十二月方离辛，而爱即于翌年二月莅彼也。

垦曰："方余于一八六三年八月投辛城西方联合电报公司时，该公司实绾近西全域。时四重电报机尚未发明，长途电报未通行。所有华盛顿，纽约，宾夕法尼亚（Pennsylvania），新英格兰诸地西行报，及垦塔启（Kentucky），印第安纳，南伊利诺斯（Illinois），密苏里（Missouri）诸地东行报，均须由辛转。局中备有二三喜克 Hick 式中继器，可接通布法罗（Buffalo）或匹兹堡（Pittsburg）与路易斯维尔或圣路易（St. Louis）。但平常悉由电报生接收，另交他员转发。

"司电熟手分昼夜两班，轮流供职。例如星期一，甲班自晨八时至晚六时，乙班继之，至电文发尽为止。星期二，乙班自晨八时起，而甲班作夜工，至翌日上午二时止。此种日程大违起居习惯，极伤人身。盖今日上午，大部销磨于卧榻，夜间须工作四分之三，而明日六时半须起，未昏黑复下差。此中六时晚膳者半，夜中进餐者半。夜中有负贩送油炸面球与油腻馅点至。余等随作随食。人少事繁，忙碌异常。每值维省或西南交战一次后，新闻电与密码战报蜂拥而至。且复冗长，害人彻夜不休。民报例于下午九时前接收。特别电与新闻电，例随其后，至翌日上午二时报馆上版止。而民报复继之。余常以晚六时上差，寸步不离位直至翌晨八时始得替身。某次三整昼夜中仅获安眠十时。

“我侪久习勤劳，养成敏捷坚忍诸长，为他国电员所不及。匹城之当坎“Dick”（Duncan），布城之班涅尔斯（Bunnells），辛城之厄味勒特（Everett）及韦耳（L. C. Weir）[1]以及东西各大局之能者均不愧圣手之目。余抵辛时，局人盛传韦曾同时接收二报，左右手分录，仍与观众谈笑如常。此容或言过其实。惟韦确有赶抄之奇才。某晨，斯塔泽耳将军（Gen. Stager）[2]访辛局，韦少

[1] 韦连任匹城以西电政督察，随入选为董事，后升保管委员，终为总办，辞职后，被推为理事长兼保管委员长。前后办理美国电政垂五十年。

[2] 斯塔泽耳为西方联合电报公司督办，内战时为全国电线军事督办。创制联邦密电符。后由本人及助手扩充而光大之。

年负气，乘机矜能于督办前。时方司东线。约九时，匹城欲由辛转电十五至廿通。韦率应曰请发。匹局即按每分三十字送出。韦伪作搜寻怀中铅笔不获状。斯固司报老手，以为韦必唤止匹局。然韦殊不介意。徐起步至广厦他端，向领班斯提汾兹（Stevens）索铅笔。斯出钥匙，启其屉，取一支授韦。韦还就已位，睇视铅笔片时，作思索状。复探囊觅笔刀，又不获，或故示不获。再起，度广厦，向一司局部电路者，假一刀。返而徐削其铅笔。又故为从容，削成细尖。然后抬足案顶，出软纸簿置膝间，始逐字抄录。复故书花体，惟恐其速。时匹局来报已逾三通，韦始正式加工，愈抄愈迅。俄顷已将追及。五分后，仅差两通。十分后，仅差一通。一刻后，完全恢复。便候机出一字，照录于纸，丝毫无失。斯默瞩无言。至是慰之曰："韦君乎，尔工作佳绝。余生平未见此才。然余终不欲再试耳。"[1]

"所谓赶抄，实出天才。犹掩目而与若干人对弈若

[1] 韦之做此惊人事，不止一次。盖天生好矜奇也。据垦致著者书，言之凿凿。垦曾目睹前事，并亲闻斯之评语。斯诫韦勿再尝试。深恐遗漏，而被人追求损失也。

干枰也。余在辛久练，居然能听声诵字。惟若落后十数字，便无从追及。盖脑方接受一字，便不能同时手写他字；亦不能记忆中间所隔时常更变之若干字也。某夜将二时，当坎自匹城问余曰：‘余尚余约近一百通未由君转。君若不愿作辍，余将尽一时内悉发送君所。’

“余应曰诺。顾时钟，志时刻，急竭力接收。

“当初发时，每分约三十五字。渐增速度，夹用缩写，如 Hw 代 How，Hv 代 Have，ts 代 This 等。竟达每分四十以外。当之运钥，与停顿中隔，完善无疵。余则竭尽心力，勉强应付。计落后者三四次，则以撕下抄报纸时，一撕失手，再撕方下，遂误毫厘。一行落后，便永不能追及。无已，只得暂留数报，待后补填。余虽明知某档应为某字，实不及一一填入。填入则收报不能不中辍。及收尽，数之，得九十通。费时五十分，未尝稍辍。自此高速记录成立后，一时同局人员咸莫能超过。

“一八六四年，金价高涨，而对纸币之兑价，又视战讯吉凶为转移。辛城三马路诸银行家与掮客渐次发觉纽约来电常先泄漏，为某投机家所窃闻。此人并无正式纽约消息，而能知最近行市，以是向电局查询。领班斯提汾兹以余位居长，即就问以同事中有无嫌疑分子。余答以无之。盖上差时既不得出室，自无由泄情。斯谓复印报馆电文时，乃在楼下，或有趁时走漏机会。余答以此非可再三试；常犯，必触余目。况仅有司匹城线之一人得见纽约金融行市电报，亦不能随接随息，偷暇密记电文，而不受匹局诘责也。余更允格外严察，必亲视行市电报随发稿簿送至楼下而后已。

“三四日后，居然发现其秘，或至少自以为得之。盖西方联合公司为便利柏涅特旅舍（Burnet House）旅客起见，于彼设分局，其线通至总局开关板，可任意与二十不同电路相接。彼中电报生欲致电克利夫兰（Cleveland），路易斯维，或英的安纳波里，则托我局为接至相当线上。一晨，余发见该生正当纽约行市电将来时，嘱接匹城线。立悟必其人所为。当日掮客并无专用线。须俟局中递送部通知，不无迟延。而柏局电报生已窃听匹城线上传来消息，急足往告附近奸商。故能先他人十分至一刻耳。

“余因报知斯提汾兹，斯欣然曰是矣。试设阱以伺。彼若诚实，不至蒙害；不然且立破产。

“是日斯伪造纽约名行致辛城通讯员之电报十数通。作为维省战事失利，纽约金融界恐慌，金价大涨云云。一面通知被累掮客谓局中自以为已得端倪，特于翌晨散布伪报以饵其人。俟其来购金，多多售与之可耳。

“次晨柏局又嘱接匹城线。余为接至向少人用之得尼三营（Camp Dennison）局部电路上。斯即于彼方发诸伪电，而竭力仿效匹局之按钥速度与特征。柏局不察，信以为真。未满十分，电戛然中止。而作弊之电报生完全堕其信用。不道德之掮客更几濒破产。于是失业者失业，还乡者还乡矣。

“一八六四年岁首，余蒙擢升辛局副局长。薪金一千六百元。从此权大而责亦重。然供职时间依然未减。伏案就机，仍须治一部分收发事务。并须侦察有无混线，有无不应接地而接地等病；及管理开关板。于斯告假时，且兼代掌全局。

“内战将止时，辛城民风极强悍，与后来大异。斗殴盗杀，无日无之。凡上夜差者，人携武器自卫。其后秩序渐佳。然迟至一八八四年，尚因法令废弛，致全体市民开大会抗议。”

亚当斯迹近浮华。见爱初入辛局，讥其质朴。爱亦自谓初赴路城，人皆笑其服饰失时。盖时方酷寒，而爱乃御葛布轻外衣。及一八六六年，所照像已衣履从众，发尤平整。口似表示善感，鼻准高大，前额开朗。目光机警，而又专注。须鬓剃尽，与晚年相同。自像窥之，觉颇消瘦。

爱尝自谓“余实拙于发电，故专习接收新闻电报”。然亚当斯固善评判者，独赞爱“于发电实鲜对手，更无强中强云”。一八六四年，约翰孙（Robert Underwood Johnson，诗人，历任《世纪杂志》副正编辑，一九二〇年至一九二一年，充驻意大使）甫十一岁。在印省森忒维耳（Centerville）站为助理员：售票，记帐，编造运货单；亦于电钥前学为浪漫工作。自谓“习之未久，已善发电，独于接收，始终不逾二等。入夜须守候子夜车过，通电报告。即就线与友闲谈，至可乐也。时得闻英城第二局电员名爱迪生者，发来电报神速如电。以是特别注意其人。如是将满一年，为最可纪念之事。爱之来电太速，虽老于接收者，亦常暂停，请其重发”。

然爱仍终日孜孜，惟冀速上加速。即在英城日，每获暇仍代新闻电报专员司接送。在辛局时，先隶商电部，司俄省朴次茅斯（Portsmouth）日线。然入夜，仍留局中。一俟有欲离去者，即补其缺。一日。电员开会，组织同业联合会支部。及夜班上差，有八人未到。余人加工，多任路线。爱独择最繁之克利夫兰新闻线。直至上午三时，原人始至。爱所录电文，清晰完备，大博上司称赏，立升头等电报生。

爱精书法。未擢升前，曾为剧场缮脚本，以增加收入。后往路城，初感缮写之时犹未尽速。遂创直体书法。能于每次接班，缮出新闻报告十五直行之多。字迹整齐醒目，极受排字工人欢迎。爱之东行，赖此为介。因爱函询波斯顿亚当斯有无手头位置。亚方供职于佛兰克林（Franklin）电报公司。该公司适无空额。亚乃持爱手迹往谒西方联合电报公司督办。督办廉得爱能就机缮文，完美无缺。大喜过望，即录用焉。

爱固不自满于例行机械工作者。更不愿虚掷韶光。暇辄涉足旧书肆。尝于路城拍卖场市得《北美评论》（*North American Review*）廿卷，仅费二元。即重行装钉，送往西方联合公司。一日上午，公毕，肩荷十卷返寓。

行未久，忽觉枪弹飞过耳际。既而被警士所执。盖警士疑其窃物，喝令止步。爱之不闻，仍前进故也。至是爱自白重听，并说明肩头物之内容，得无事。

爱自述“余练习迅读法，竟能一见全行，尽解其义”。此与特勒味连（Trevelyan）所称马可梨（Macaulay）阅印板书，能过目全受者，相仿。特曰：“马阅书，速至较人瞥观大略尤速；及其瞥观大略，则直较人推页尤速。有见其阅书者，诧为从周身皮肤读入。顾马虽阅读极速，仍能不失之疏忽。”爱虽比马不足，但亦能速而不疏。性不嗜说部，独与嚣俄（Hugo）结不解缘。同侪且戏呼为“嚣俄爱迪生”（“Victor Hugo Edison”）。亦颇嗜剧。居辛城日，常约亚当斯入旧国民剧场观马卡罗（Mo Cullough），福勒斯特（Edwin Forrest）诸名伶杰作。初至路城时，联合报社监理为台勒耳（Tyler）。《路城日报》主笔为东北美邦名编辑，而迁居于路者，名普棱替斯（George D. Prentice），亦以诗显。二人常晤谈于西方联合电员舍后，台氏办公处，爱得数数与焉。普每俟编讫，辄于未明前过访台。爱请得同意，于接完新闻电后，入听高谈，获益不少。

电学之在当日，固视今日为尤神秘。爱立志欲钻破之。自受麦肯基传以铁路电报术后，每逢所谓“实行”（Practical）电报家，辄央其说明电报原理。惟蒙特利奥（Montreal）电局修线员某苏格兰老人言之最动听。彼谓设有特别袤长之长身猎犬，能从爱丁堡伸达伦敦，则在爱挽犬尾，犬能在伦鸣。此言固具巧舌。惟爱自承不识究系何物度犬身而过。亚当斯述爱多销磨其暇晷于电池电线中，一心欲减少电报术之困难。二次在路局时，某夜需用硫酸。因取自电池室。误倾其瓶。硫酸漏入楼下经理室。蚀毁地毯与文书案。翌晨，经理遣爱去。诫之曰：局中所需乃司机人，非实验人。爱复往辛城。寻又舍去，归休伦。乃寄书波士顿，托友亚当斯为谋位置。亚劝其即往。爱设法觅得大干线免票，遂赴波。然好事者如本利（James Burnley）于所著《大富翁与大企业家》（*Millionaries and Kings of Enterprise*）（一九〇一伦敦出版）一书中，竟坚谓爱徒步而往；四昼夜毕其程云云。时在隆冬，此而可信，爱诚健足罕匹矣。

第五章　电报生变发明家

休波间车行亦多困顿。又遭朔风飘雪之苦。抵波，即谒电局监察密力垦（Milliken）。谈五分顷，密便允录用。并询何时可到差。爱答曰即时。密因命其当日下午五时半来候。

密诚具眼力，能识人。然爱初到差，既不修边幅，又无充分寒衣。夜班生一见思揶揄之。使接收纽约发给波士顿日报之新闻电。盖纽局发电员运钥极速也。爱不知内容，坐而受之。先颇缓，逐渐增速。爱从容接收，无难色。纽局员穷其力，不足难爱。复故作含混，使字上下拖连。然爱久历辛路两城，司空见惯，固不畏此，依然接收无失。及电将终，爱启钥，责纽局员曰："毋再恣肆。速易足司机可也。"自是同事不敢复弄之。

波城之西方联合公司，虽居最下层。然较迤西各城之在楼上者，设备初未稍优。局址旧系酒肆，藏蜣螂无数。夜中有爱尔兰籍小贩来售点心。侪辈购食之际，蜣螂辄从板壁中争出。爱痛恶之。特于案头壁上固结二锡箔，连一箔于电池阳极，他箔于阴极。及蜣螂攀至两箔上，触电而亡。爱称为“化气而亡”。某晚报记者特记此事颇详，且誉爱之巧思。顾夜班司事不以此电刑为然，竟嘱爱废之。亚当斯曾述爱在辛局地窖中以此法治鼠，谓为“鼠子麻痹机”（Rat-paralyzer）云。

波城某优等女学一日请电局派员试演模斯电报术于女生前。局中素知爱最多识，即遣之。爱固愿多收实验之资，欣然偕亚同往。于课堂内布一线。爱据讲台上，而亚守他方以待。室门一启，女生廿辈鱼贯而入。年龄正在十七以上，服装至丽都。爱亚生平未经绮遇，不免涩缩。讲毕二人互相道短，谓见芳龄女子，何竟拘窘至不发一言。并各自居功，以为解围在彼。爱曰：“余见亚哑然不能启口，亟插身而入，代为演讲，乃较生平他遭得意多多。”

爱寄宿广厦一角。当亚短期离职，资财化为摄氏绝对零度（即负二百七十三度）时，辄与之共。爱好宿大厅隔间，以其值廉也。食则奔波哩许。然读书实验，未尝少废。合司报计之，每日治事十八至廿时。一日购得法拉第（Faraday）全集，自上午四时读至晨餐。顾亚当斯曰："人生苦短，事业綦多。能不兼程而进乎？"言毕疾驰赴餐所。爱读法集，大受激励。尤嗜其繁复算式，设解浅显。不羼繁复算式。遂逐一试行诸实验。更出没昆喜尔（Cornhill）旧书肆。虽衣履敝旧，晏如也。稍有蓄积，辄以市书籍仪器药品等。某日斥三十元置新服，随为酸污损。自警曰："多金置衣，结果如是。"

法集以外，凡遇电学实验问题，亦皆试行。尝于某科学期刊中见硝酸甘油制法。即偕熟友仿造少许。及试燃，几肇大祸。急藏瓶内，趁黑夜弃沟中。爱之遇险，不止一度。时有哈谟勒特（Hamlet）者，专究电钟。据云后果发明西方联合公司报告标准时法。爱尝假得诱导圈，即就哈厂试验。一日误握两极，圈著身不得脱。及瞥见所用格氏电池乃在架上，忽得一计。以为连人带圈后移，可拽开总池各瓶，则电流自断。惟又恐诸阴板所浸入之硝酸将外溅。遂闭目而引退。酸果及面，并沿颈背流下。急奔洗池，挹水遍浇面颈。而面已暂伤。两周不敢昼出。

波局电员菲力普斯后记爱事曰：爱得薪金悉购电线螺线等。自拟四重电报图说。向人解释，口若悬河。于接收新闻电报问题，不复如前此专注。据菲所知，爱曾于片纸上密书新闻电文一千五百至二千言。手民不能辨，须重录一过。报社责爱。爱寻以一纸仅书一字，局方卒解其新闻电报职。

科耳特街（Court St.）有威廉姆兹（Charles Williams）所设电料厂。爱与一厂工试造新检票机模型。一八六九年，六月一日，领得专利证书九〇六四六号。有电员洛柏兹（Roberts）助本一百元。爱遂完成第一种新发明，所聘律师系来特（Carroll D. Wright）。后主办美国第十一次户口调查，又任劳工局局长二十年。是机专备选举或投票时记数之用。只须压下开关，即能自数自记。爱以为必蒙联邦议院采用。专程入京，试演于委员前。机虽完美，无奈委员长宣称议院所最不适用者无过检票机。盖少数议员对于未加详议之草案，可借冗长演说，或不生效之提议，或指摘手续不合等，以阻挠之，而求反转机会。今用机检票，是惟恐不速。乌乎可？嗣后爱一心注意社会需要，而后发明以济用。

已而果发明证券市价通信机。用户得四十许。一八六七年，卡拉罕（E. A. Callahan）首创此类机。一时起而试究者甚众。爱挟机走纽约求售，不果。爱又创为直接电文机，附有字母盘，可供商家直用文字通讯。别于屋顶设专线，由爱指挥。机制极简单。常人学习数分，便能运用。至是，爱渐得其门而入。无形中已践定本人专业之途矣。

无何，亚西行，周游各城，充电员。爱幡然脱离故业，实行发明生涯。

第六章　发明生活之进展

爱离波赴纽约，乏资斧，只得只身附舟行。尽遗书籍器具于波。及履纽埠，竟无以果腹。信步闹市，偶见商家庖人备早茶。因请分尝少许，权充一餐焉。

爱有旧识电报生方在纽。几经访寻，始遇。不幸友亦失业，仅能贷以一元。然爱视一元终胜于无，即走入美味驰名遐迩之食肆，大进苹果包与咖啡。一见狂吞。其后语人，谓为生平第一知味之时。同日亲谒西方联合公司求职，适无空额，仅先记名。又多方恳求金价指示局（Gold Indicator Company），许其暂宿电池室中。

一八六一年将终，各银行停兑硬币。政府大发纸币，全国不复用金交易，独加省仍旧。国家银行则用公债等以付期票等。政府负债愈深，民间愈轻纸而重金，金价乃大涨。一八六三年，金对纸兑率高至一七〇；翌年，竟达二八五。惟专家认至高未出二五〇几许。一八七九年一月一日，财政部恢复硬币，金价始平。

此十数年中，投机者咸趋于金。纽约窝尔街（Wall Street）因设金交易所，按时揭示金价于黑板，犹今掮客室中然。时有顽童状之出店，争报市价上落于各私人办公室。已而副所长罗斯博士（Dr. S. S.Laws）发明用电指示机揭示行市。由记录员司钥。然仍不能免除顽童看价报价之喧嚣与迟误诸弊。

罗复悟中央分报之法。于有约掮客之办公室内，设指示机。统归所员拨示。罗因获此专利权。及辞职后，自组金价指示局。独掌分报金价之权。承用之户达三百。其机颇复杂，又多嚣声。位在局中办公室，由开关板司其动作。指示器作匣状，含有数字一横排，能移动。即由一缝中显出，与电车所装自动记帐机相仿佛。

爱抵纽三日，仍枯坐金价指示局中。依然未有职业，入夜仍宿电池室内。昼间则研究罗氏电报术。是日通报机忽停顿。室中人面面相觑，不知所措。二三分顷，顽童三百蜂拥登楼，狂呼机坏。督察竟慌张失常，莫知究竟。爱已详审机件，知其症结，即挺身而前，指出有一导电弹簧折断，堕入两齿轮间。时罗博士仓皇赶至，督察一见，哑然无言，爱独陈词。罗一闻爱说，立命速修。爱睹罗之焦急，终生不忘。当即撤去断弹簧，拨机使停于零点。更遣工人四出重校各指示器，大忙二时许，始得照常工作。

罗传见爱，一而再，竟拔充全机厂总管理。爱复改良罗法多端，久居其位。迄金价指示局并入金券电报局为止。此局专报证券市价，所用指示机又与罗式不同。此机系卡拉罕所创，具有字轮二，印出字迹两行于纸条上。市价即由交易所用模斯电符送至新街（New Street）十八号总机关，再分送各掮客。及两局合并后，罗机不复用，而以卡机代之。

此投机狂热期中，尤推一八六九年，九月廿四日之大风潮为最烈。至今称为“黑星期五”（Black Friday），谈虎犹色变。时有谷尔德（Jay Gould）与徒党菲斯克（Jim Fisk）联结政客特威德（Tweed）等，勾通法院，贿赂法官，得以操纵金市，大收其利，早已声名狼藉。一八六九年八月，更欲一举而垄断。自以为有格兰特治下声援，遂尽量购金，逐金价骤升。若辈预计金贵则西省麦价亦必增至相当程度，农家必争先售出。此巨量之麦必经彼等所操之伊利铁路而东来，则铁路收入必陡增。孰意竟败垂成。盖财政总长布特卫尔（George S. Boutwell）忽下令由政府售金。于是金价骤跌。一日内自一六二跌至一三五，引起绝大恐慌与混乱。爱曾目击其大部分，且亦躬与其间。

是日市价逐长极速，罗机几不及应付。午后一时，爱努力工作，勉使其机不致落后，此为爱唯一任务。及市民认为最合格之价开出，群起交易。万头拥挤，通衢尽塞。爱惟静观而已。西方联合电报公司一电员为贺曰："请来握手。余等无恙。幸未卷入漩涡。"入夜行，人犹奁突如狂；掮客办公室内，照耀如昼；帐员稽册抄单，忙乱曾无少息。而爱则竭力拨机，直至低价。

时爱年廿二。恬淡脱俗，令人且奇且羡。虽已发明证券示价机，身为金价指示局经理，而从不投机。即其后屡屡发明并制造此类机时，亦迄不尝试。彼目击"黑星期五"之狂变，未尝不讶为怪剧也。十二年后，纽约初设白炽电灯总厂，其制造法与分布送电诸计划，均爱所完成。一时煤气灯几无人过问。股价大跌。爱氏电灯公司股票狂涨，自一百元跃至三千五百元。爱依然故我，毫无德色。盖一心注于兴办总厂，欲求事事妥善，无暇他顾也。

一八六九年，十月一日，即“黑星期五”后一周，《电报界》杂志（*Telegrapher*）刊登爱与颇普（Franklin L. Pope）联合启事。实为美国电工事业广告之第一声。颇为青年电报工程师，亦曾任职金价指示局。后主编《电工杂志》（*Electrical Engineer*），为公认专家。是时与爱合组“颇爱公司”（Pope，Edison & Co.）。而《电报界》发行人阿士力（J. N. Ashley）亦加入办公处。虽在百老汇路（Broadway）七十八号，而爱则留泽稷城（Jersey City）小机厂试验之时为多。每上午一时乘火车归依利萨伯与颇同宿焉。

颇与爱共创金价印刷机，专供记录金之行市与兑价。备汇兑掮客与入口商所用。又代客装设私人电线。但二氏所经营被吸入金券电报公司。该公司寻复为西方联合所并。新经理勒斐兹（Marshall Lefferts）以证券示价机尚多缺点，欲爱有以改良之。自出资本。爱果陆续有新发明，皆享专利权。其一名“齐一停止机”

（Union Stop），可使众指示机悉归至零号，而后悉按总机同示新数。若有一机失调，可立即纠正，无须专人往修。最后集诸新优点，而成所谓爱式万宜印机（Edison Universal Printer）。

一日勒召爱至，与结算发明各项上之帐款。询爱欲受几何。爱自忖当得五千元，特决意仅受三千。惟仍恐多索，不敢启齿。因请勒自定。勒出口便允四万元。爱受宠若惊。自谓“闻此意外巨数，几濒于昏倒”。幸尚能答曰:“如此公允。”三月后，遂签领支票。据谓此实爱生平初受支票。初受得此，诚不菲矣。

爱持票赴行收现，行员验票后，退还，并发数言。爱亦未能听真。以为该票或本无价值，归告勒。勒始为言票背须经抬头人签署。因遣一职员往作证。付款员视为趣事，特检小额钞票付之。爱遍贮周身衣袋中，勉强挟归。又虑失窃，竟危坐达旦。复怀至勒所，备极臃肿。勒代为存入银行。至是爱始与银行往来。

爱方抵纽。无业无食。不转瞬间，竟能立足社会赢得经济独立，盖天生发明奇才致之也。

第七章　爱迪生与电报

爱自谓“热血太充溢，不能坐视金钱呆滞”。遂于新泽稷省纽亚克（Newark）设大工厂，为勒制证券示价机。初雇日工五十名，寻增夜班。无论昼夜，爱自充工头。每廿四时内，就工作长凳上短眠三四次。次约半时。及觉，精神一新。爱之勤业，盖以工作为必需物。与蒲丰（Buffon）可谓无独有偶。一九〇九年，自述在一九〇二年，五十五岁前，每日平均工作十九时半，其后不使逾十八。

一八七〇年至一八七一年，续开二厂，已为制造专家矣。此后终身执此业，仅中辍少间耳。据常近爱者言，爱虽试舍亲制一途，然终感他人所制不尽合格，而卒未能。时纽亚克新兴，工人皆计件受薪。初入厂者，每全无经验。爱多方教导，不遗余力。尝因某项实验，备有大量肥皂溶液，而通氢入，使生大泡。一童工适在旁洗瓶。曾见书云，氢善爆炸。遂乘机一试。时桶底沉肥皂深四吋，桶边高十四吋。童遍激桶内，使泡高与边齐。乃取长钓竿夹片纸遥燃之，一室玻窗悉遭粉碎。

又一日，某工人以露空火焰热醚，醚立炽。纽亚克消防队驰至。从窗间引水管入。毁药品甚多。恶气熏倒队员数辈。

自设纽亚克机厂后，爱予工界以实习实验之机。尤重电工。其后，曾于一八八五年以前，佣于爱厂者，共组“爱厂先进会”（“Edison Pioneers”）。爱抵纽亚克未久，即收一瑞士机匠名克鲁栖（John Kruesi）。绰号诚实约翰（Honest John）。工作周详精密且敏捷，为爱一大助手。后任爱氏实验室督察，及纽约省斯刻涅塔狄（Schenectady）城爱氏通用电厂工程师。又有奥特（John F. Ott）者，亦随爱多年。奥自述初见爱时曰：“其人无异于普通青年。油垢满身，亦犹众工匠。蓬首粗服，仿佛流民。然心胸深广，一见令人油然起敬。”

纽亚克工作时间甚长。一日厂中方造爱氏新发明机器四十五具之多。工人对于众多示价机，颇感困难。爱竟命连做六十时。迄众机咸完美无微疵，而后放工。

无何纽约自动电报公司求教于爱。该公司与华盛顿通有电路。用英人力特尔（Little）法通报。先于纸条凿疏密小孔。按模斯电符辨字母。然后通过发报机之圆筒上。每遇纸孔，则电路得续，而电流自沿线达他端。彼中亦备抽动纸条。经化学制过，受电后，自显痕迹。

爱一一改良是法，终得畅用于商报。计先后大加改善凿孔机，发报机，收报机，及收报纸条之药制法等。又革除长线迟滞之病，能使纽约菲列得尔菲亚（Philadelphia）间每分通报一千字。纽约华盛顿间每分更多至三千五百字。顾犹未足，后复完成一种新收报机，能直接缮出罗马字母。于是纽菲间，每分竟能通三千字。

自动电报公司与英国邮政电局约定，遣爱赴英试演其自动电报术。英国卒采用其法。惟爱自称英人未尝出有代价。

在美方自动电报确经证明极合实用，且亦至少大行二年，成效卓著。惟终废弃，其故散见下文。

爱随复专研异向二重（Duplex）与四重电报（Quadruplex）。实则未离波城前，早已攻究异向二重术。

异向二重术者，于同线上同时发二报，一来一往。先爱而为此者，已有其人。若美之斯忒因斯（J. B.Stearns）曾革去旧法大病。盖电线原具所谓静电导容（Electrostatic Conductive Capacity）。即能以蓄电器作用，扣留每次通过电流之一部，成静电状。故线之得电荷，与失电荷，皆须稍待片时。而模斯电符之传递，因以减缓，实异向二重电报术之大阻力。斯于线路中插入蓄电器，以调剂线上静电荷。遂使异向二重术成功。一八七三年爱请求复电报专利权多种。其一为同线同时同向发二报术，谓之同向二重术（Diplex）。

此异向二重法利用电流强度之变更，于线之每端设一差动（或中立）继电器。即一电磁石外绕二线，从电池分出。一向左绕，一向右绕。卷数相等，抵抗亦相等。当远站开电钥，电流经过二线卷，发生两相等而反向之作用。彼此抵销。故电流分半入地，分半往远站。而继电器并不随本站发出符号而起作用。但远站一关钥，其收报机遂活动。线之两端各有一继电器。两电员互相控纵对方收报机，故可同时往来发报。

至于同向二重电报术，则赖电流方向之变更而成。

爱于线之每端加缀第二继电器，命之曰极化继电器。亦由电磁石组成，惟只绕一线。此电磁石之两终点间，更设一摆动永久磁石。当此线上之电流变向时，电磁石之性亦变，即北极变为南极。但永久磁石之极性不变，即介于电磁石两终点间之一端永为北极，故被电磁石之南极所吸，而摆向该极。故当电磁石外绕线上之电流变向，电磁石之极性随之变。而永久磁石自摆向他方。电流之方向由电池之改向而更变。电池之改向则受制于换极器。试将差动（或中立）继电器与极性继电器相连，则二人可同时由同线向同方各发一报。一人更变流强，一人同时更变流向。据此原理，可造四重电报机。只须于线之每端分设二对报机。一对与远来流强之变相应，一对与远来流向之变相应，皆自能避免本站发出电流之影响。

爱尚有其他新发明，更为社会所注意，亦更为专家所详究。惟爱之解决此一应用电学问题，实最费心智。自谓“此谜奥折幽邃，令人须同时顾到八种不同之物，齐在心灵平面运动”。自常人观之，欲持上述理论施诸商用，直不可能耳。

一八七二年至一八七三年，菲力普斯与其他七电员受西方联合公司纽约分公司之聘，往试四重电报术，而归爱指挥。菲述当日四重电报之幼稚曰："符号传来，震荡天娇，令人忆起爱尔兰都柏林（Dublin）外著名崎岖石路。爱则无时不在场奔走众机间，时而拆卸，时而装配。虽未得尽善尽美之成效，然已能逐步改进。最后向我侪曰：'此事系一企图。原理尽无可訾议，惟欲求完美，须多经专家之手。凡电报一类应用上之困难，非实行身历，无从发觉。亦犹爱尔兰引港人之凭舟底验伏礁有无也。'"

爱正研思四重电报术，竟忘付税捐。官厅促其立偿，否则须增抽百分之十二分半。爱急赴捐局，挨次向窗口前挤。及轮至本人，竟忘却己名。其后多年，爱语其同伙阿普吞（F. R. Upton）曰：方彼深究本题时，未尝以为有若干哩长线横空远去，仅视若邻室对晤而已。自四重术施行后，迄一九一〇年，其间美国所省线费，已达二千万元之巨。盖一线可抵四线也。

爱欲售脱此新机，商请西方联合公司，欲一试，而未果。后卒允假该公司电机总工程师之名，认为共同发明人，始得其许可。爱曾云"时余极困于资：不得不牺牲荣名。而此工程师又适急于求名，不以利先。遂得一言为定。两全其美”。[1]于是先就纽约与奥尔巴尼（Albany）间试行一次。由公司总经理奥耳吞（Orton）、董事樊特比尔（W. H. Vanderbilt）等监视，竟告厥成。

公司果施行四重术。奥耳吞允付爱五千元。寻远出旅行，遂成悬案。总督察厄刻特（Thomas T. Eckert，内战中为军事部电员，长驻华盛顿）告爱以嗣后更无一文可付。惟彼自识一人，愿购此新利器。其人即谷尔德。而厄正预备脱离西方联合，往营大西洋太平洋电报公司与谷竞争也。谷方谋操西方联合权，故极欲购用爱之四重术，以扩张营业。即予爱三万元，并委爱为大西洋太平洋电报公司总工程师。

谷复购入自动电报公司。计须付专利品与线路各费

[1] 据《美国名人列传辞典》（*National Cyclopaedia of American Biography*），谓“普勒斯科特（George Bartlette Prescott，一八三〇至一八九四）与爱成约。后升任西方联合公司线路督察。曾享电报上新发明专利权数种。又改良四重电报之某项，亦获专利。凡美国与欧洲一切四重术之专利，皆普与爱所共，二人又得英政府采用此法后所给之特许费。一八七〇年普初出异向二重电报术供用。一八七四年继出四重术行世为电报史上最大伟大功业。一八七六年实用气管传递电文”。

四百万元。订入合同。及既得控制西方联合公司，竟背约。厄刻特已任大西洋太平洋公司总经理。对爱怀私嫌。又不以自动电报为然。卒撤废不用。爱晚年描写谷之为人，谓为冷酷无情，良知痹痿；不知建设事业之可贵，但解图利而已。[1]谷一掌西方联合公司，爱见事无可为，即改入他途。

[1] 一九一〇年纽约出版怀特（Bouck White）著《德留传》（*The Book of Daniel Drew*）曰："谷猥琐，阴如鼠。貌极可憎。色黑。遍蔽髭须，几不辨面目。瘦弱多病，若从未一饱者。"

第八章　爱迪生与电话

在纽亚克日，除治复电报术外，尚研究其他问题。曾创为呼号匣 Call-Box，专供呼唤当地各区之信差用。并自组一公司，以推行之，颇能流行一时。惟未几出售于大西洋太平洋电报公司。

此时爱又发明一种镂花模版，可复印笔迹。以特种蜡纸覆于细纹钢锉板上。持尖钢笔刮出字迹，由纸上许多细孔连成。遂可用墨刷其上，而得印痕。谓之钢笔誊写板。后售其专利权于芝加哥（Chicago）狄克（A. B. Dick），由狄制售。及打字机产生，又移钢笔刮字之手续于该机上。

打字机之发展，爱亦与闻。一八六八年格力登（Carlos Glidden）与勺尔斯（Christopher L. Sholes）曾请得一种专利。爱即于其上加工。勺后自密尔窝基

（Milwaukee）来纽亚克求爱再改善其机，俾合商用。爱从之。一八七三年纽约省易力温（Ilion）枪匠棱明吞斯（Remingtons）购得此专利权，而如法制造，称为棱氏打字机（Remington）。当爱试造是机时，系用今日通行之印字棒列法。惟每棒仅带一字母，且只有大写。其先虽经若干企图家草创之，直至爱改良棱法，始足供实用。然今日用打字机者，则鲜知爱为此中功臣矣。

在纽亚克时，爱始恢复独当一面之实验生活，一如休伦地窖日之完全自由。极盛时，于总厂外增设四分厂。其娶斯替尔卫尔女士（Miss Mary G. Stilwell）亦在是时。惟爱不愿久居其地。一八七六年欣然走门罗公园（Menlo Park）。

一八九〇年密尔窝基与纽约出版《爱迪生与其发明》（*The Life and Inventions of Thomas A.Edison*），中载爱之白炽灯研究助手煤气工程师斯提耳灵革（Luther Stieringer）之言曰："爱君虽秉赋过人，然身兼制造与发明二役，亦极难应付。二者实有不容调和之处。譬如偶动一念，必须立即多方试验。厂工一一皆须听其调遣。顾工厂既按时治事，又须时时顾到直接有利之生产工作，则此举便不能行。一八七六年爱君卒卸脱制造之职，退居纽约外二十四哩新泽稷城之著名门园焉。”

门园名为园，实若干人家团聚之所。外绕广原。为依利萨伯与麦图辰（Metuchen）间之宾省铁路一小站，属新泽稷省，弥得尔塞克斯郡（Middlesex County）。远离尘嚣，至便潜究。后爱就设正式完备实验室。身居其中，迄一八八七年。

未离纽亚克前，已稍稍试验电话术。一抵门，即继续钻研。一八七四年格雷（Elisha Gray）已试作调音电报（Harmonic Telegraphy，今废）告成。爱之动机殆见此而起。其法借一振动簧片，或音叉发音，即由电报线上传出与其振率相合之电瞬动。在收音站，另备一簧或音叉，调得与前吻合，则自能发出该音。再用电钥，即可割裂此连响之音，为断续之音。按长短分为画点，亦如模斯制。且同时可由若干不同调之簧或叉发出不同振动。借一线传去，不相纠扰。而收报站之若干簧或叉，亦各自众音中择一与之应合，而尽拒其余。故亦无混乱。格即排列此类簧成键盘状，各配一电磁石，由簧充其衔铁，竟能发送音乐，并于一线上同时发出不同电报九通之多。

爱或亦同时攻究此中原理。一八七五年果创制一器，专备分析各音中所含不同之振动波。一八七六年一月十四日，遂向专利局预请保障其发明专利优先权。适逾一月，格呈请保障电话机专利权；同日柏尔（Alexander G. Bell）亦与格作同一呈请。为柏之第一次请求电话专利。但格之声请书实后柏书二时登记。彼时发明家有计划而未完成，例得具说呈入。其后一年中，若有续呈计划与彼冲突或雷同，则由专利局通知先呈报人。此制一九一〇年废。格与柏同日请求保障同一将成计划，难定先后，竟久争不决。直至一八八八年大理院判决柏先。当爱作此声请时，并未领会其年前所发明之器竟粗能传音。直俟柏法公布后，爱始发见是情。故爱承认柏为利用电磁石前之振动膜以输送语音经过电路之第一人。惟爱器别有其历史上之价值耳。

此后爱数数供给意见，俾柏之雏型得底于成。柏初不用发话器，仅以一器兼司收发。其制与今受话器相似，系以一钢膜置近一电磁棒之极，音波撞击时，膜即振动。自充衔铁之用，而诱起磁石圈线上之瞬动。此等瞬动，遂沿线而达收话站。柏机实一磁石电话机，而赖人音之工作以活动。如此所生之能力，当然甚微弱。其电瞬动既弱，音亦不能及远。据爱试得结果，在纽约与纽亚克间，用西方联合公司之电线，竟不辨字音。

西方联合公司之奥吞又现身，欲爱改善柏法。爱果为改善之。公司购入爱之专利权，得一利器，以与柏所结合之马萨诸塞（Massachusetts）省电话公司相抗争。

爱之初步工作系利用碳之一种特性：即其所受压力有变，则对于电所示之抵抗，亦随之变。故用一闭电路为发话器。电路中有二电极。其一或两皆碳制。皆先使受一初压。俾电池所来之电流得继续通过电路。一极则与振膜相连。膜起变动，两极间之压力亦变。爱更加入诱导圈，使电流不由线通过，而由一次圈通过。电线则连至二次圈。于是线上能生电压较高之电瞬动，远胜柏法所制。是爱于电话曾著二大根本改进功绩。用碳屑发话器即显音器，则不赖人语音波直接惹起线上电瞬动。而只由其更变两碳极间之抵抗，因得一种电活瓣之功用。再加诱导圈，而线之有效距离遂大增。

自爱改造后，初之视为无足重轻之游戏式之电话，始得大放光明。而人咸知其前途大可为。于是柏之公司与西方联合遂起商战，久之始和解。然西方联合早受美国电话公司（American Speaking Telephone Company）协助，已设接线所八十至八十五处，已在赶制话机中。和解后，双方各专一业。即柏公司允不复办电报，而西方联合不再营电话。

西方联合力能勒索他利。中有一项即于柏之盈余抽取特许税二成，至柏之专利期满为止。故在一八九四年前，每年多收进益数十万元。盖全因该公司实为爱氏专利权之所有人也。一九二二年八月二日，柏殁于诺法斯科细亚巴得克（Baddeck）家园。一时报纸社论等多证明社会早已忘却双方旧怨。但八月三日《纽约民报》评曰："自初创微弱传音器，至今之大成，盖非朝夕。惟其原则迄未变更。器之本身之演进，固不若其流行全球所生影响之尤为可惊也。"其实新旧电话之主要点何尝相同。专家至认：微爱迪生，今之远距离电话殆不可能。[1]

[1] 一九二一年伦敦出版佛来铭（J. A. Fleming）著《五十年来之电业》曰："爱用炱制钮，置发话器中。寻觉不合。后改用碳。使抵抗时变大奏功效。至今不衰。此式发话器之能，盖胜柏之磁石电话多矣。"

爱复移电报术所用之“电动画机”(Electro-motograph)原理于电话。缘长途电报必须音响器(或继电器)。此器由一弹簧控引，以曳衔铁离磁石。此法久经延搁，始得享专利。当谷尔德谋夺西方联合公司时，正进行此举。爱继起，废弹簧，代以“电动画术”，并可免用电磁石。

其用以代磁石及振动衔铁者，系圆垩柱，浸过某种化学溶液，由一小钟表式发动机旋转之。更于一振动金属臂之上端，著一小垫，与垩相接触，而不紧逼。垩与振动臂，则各通电池之一极。当无电流通过时，垫赖摩擦压力，附贴垩上。及电流一通，垩中所吸溶液起电解，使垩与垫间减少摩擦，而释垫下落。同时即由一反向弹簧掣止该臂。实用时，发报处发出模斯电符。收报处自见垫与臂随点画而作短长运动，此实完全革新之传信法。

西方联合公司几经试行此法，皆奏效。始购入。时有佩治(Page)者创用退缩弹簧以代电磁石继电器之衔铁。谷尔德特购其专利权，以备与西方联合相竞争。购得后，忽发觉其制实无用。

后爱造大声电话，即采用垩柱收话原理。由收话人转动一曲臂，即使湿圆垩柱旋转垩上停靠一臂。该端外涂钯，他端附著于共振器中之膜。发话站所来电流之变化，经过垩柱，产生电解。使臂与柱间之伏贴状况起变化，卒使膜振动。故语音歌音等，均可入远人耳，异常明晰。纽约发言，在门罗园听之，响度扩大极多。虽离收话器外一千尺之田野间，亦听来清楚。[1]

电话初入英国及柏爱二方争持时，英人采用此大声电话若干时。英法院赞助爱之碳发话器之专利权，而批驳柏氏。大声电话诚能避免影射柏式收话器之嫌疑，惟究因工繁费巨，后不复为商家过问。爱遣代表入英，并登欧陆，为设接线所。一八七九年萧伯纳（Bernard Shaw）甫廿三龄，为爱氏伦敦分行一雇员。后于《无理结》（*The Irrational Knot*）小说中，形容大声电话曰："其制巧不可阶，实巧之过甚。效力太大，不愿为人守秘，而尽情大吐密语于稠人广坐间。"又曰："英国掮客当然不欢迎。该公司寻即并入国家电话公司。方其在世日，无意中为余开一席地。得自占文字史上之一页，殆非其预料

[1] 一八七九年，三月廿一日，伦敦《工程报》（*Engineering*）曰："可称大喊电话。盖较任何人音为强且与对晤一般明晰。"

所及。爱氏公司营业时，维后街（Queen Victoria Street）大办公室下层中，满居美国技师。此辈著迷而又浪漫之人，示余以彼国无产阶级之技能分子之一斑，听其谈吐，直使爱尔兰人亦为之惊愕。治事异常努力，绝不计成效大小。自谓共和国民，严守本色，不愿与峨冠作态，内鄙美民，外饰谦和之英人交易。而必欲受其真正自由国人之驱使。宁愿常闻本国工头之咒詈也。由若辈观英人，从容缓作，受酬而不愿多劳，从不赶工者，鄙夷特甚。然英国工人视彼等之辛勤汗血，纯为雇主，不求自利，又几何不笑为外江人氏，见与童子邻耶。美国工程师竞夸爱为科学艺术哲学三方第一伟人，而痛詈柏尔为与爱作对之穷凶极恶之辈。其实两人各有，或托词将有，垂成之改良新品，电话新件，皆新发话器之属。美国工界，心地活泼，思想自由。与交游，实无上。善感触，而兴高采烈。好大言诳语。终日忙碌。虽自设难题，自求解决，亦营营攘攘，若不得已。又因想像过灵，常投入思想歧路。徘徊驰突，莫能脱离。或钻入死路，犹不自觉，须待想像不活泼，不轻易堕歧途之英人，来援出之。然美人固其意若曰：尔老大迟缓之英国，盍亦起效我侪乎？

“余居此环境中数月。余昔好物理学。曾读丁道尔（Tyndall）与赫尔姆霍斯（Helmholtz）书。又从贝尔堂兄弟辈之治化学与物理学者游。故自信全行中惟余一人能解当日科学家对电话术之说词。已而又与行中宣讲员某科尔拆斯忒（Colchester）人订交。此人力究原始农学为专长。余常得机会，代彼发言与试演，竟为爱君在伦敦赢得立足地，使其令誉蒸蒸日上。余试演于众前时，告众以发话者远在廿哩外。然众闻其声，粗厉响震，以为隔室有人方持传话喇叭而发言。及听毕，心怀疑虑，又强抑其半。且于应否出酒钱小帐，更莫能决。此则悉呈于外。余观此等状态，颇引为乐。此即余所受唯一酬报。盖听者或始终不解决酒资问题，或解决于否认方面。而余永无所获也。”[1]

一八七九年八月，爱于纽约萨剌多加泉（Saratoga Springs）公演大声电话术。而柏尔亦据坐台上。《纽约民报》记曰：“爱君之说明，大为听众所喜。态度奇特而安详；言词朴质而显明；解释孤僻而中肯。无往不使

[1]《无理结》小说初刊于贝山特夫人（Mrs. Annie Besant）所主编之《我等之一隅》杂志（*Our Corner*）。后由纽约另刊单行本（一九〇五）。

人倾倒也。”又述电话机曰：“藏于小箱，前装玻璃，旁通曲柄。而收话器即穿过玻璃，紧压一金属臂上。臂自膜达圆垩柱。箱顶开一小圆孔。发明家证明垩柱被旋转之方向与速度，与收话不生影响。惟不摇曲柄，则音立停。”（八月三十一日该报）又电动画术可重生音乐音，即远隔无妨，已屡试验。至今日，无线电话所用大声收话器，当然别有所据，完全异制。

爱居门未久，即创微压计（Tasimeter）以测温度微差。亦利用其中碳之抵抗随压力之增加而减少之特性。其器有硬橡皮，或其他极易感热之物质一片。下借铂片，碳钮，及另一铂片，依次排列。碳钮及两铂片属于一电路内，亦具有电池及电流计。只须温度稍变，例如稍升，则硬橡皮片即微涨。但非肉眼能察。同时碳钮所受压力既增，而电路中抵抗自立减。可从电流计窥出。据云：电流计若灵敏及格者，虽三十呎外人手之热，亦可借此测出。因极精细又常称显微微压计（Microtasimeter）。爱因此器专供科学家测探星球之热及其他用途而备，故未请专利权。

第九章　收服音波

克鲁栖虽曾目击爱完成若干奇器，顾其信心未为深远。一八七七年秋日，爱授克以图稿，嘱其仿制模型，作一件工计。并于图旁批明工价十八元。克受图，百思不解其用。走问爱。爱具告之。克不信，以为无稽。然职司所在，亦姑为依样成之。及爱试用模型时，克从旁注视，欲明究竟。

其物为状诚可怪。下有二支脚，中有木座，上有金属轴。轴身刻螺线，似一水平螺旋。一端装摇柄。轴外贯过一金属鼓状筒，面上亦带螺纹。鼓两旁各设一小管。管之内端各张一永久固定膜。膜心各连一小钢针。

克坚谓此机必徒劳。厂中工头卡耳曼（Carman）亦云然。且与爱作赌，以雪茄一匣为孤注。爱于是试演新机。观者讶为入魔。先取锡箔覆鼓外，随摇其柄。同时口接一小管，大唱“马利有羔羊”之抒情诗。已而倒摇其柄，回至出发点。撤开第一管，整理第二管。更摇柄前进，机中竟发出马利一歌。音虽微弱，而确属爱所先唱无疑。

克大惊，不禁操荷语呼曰：“天乎！惟上帝知之！”（“Mein Gotsim Himmel”）。卡亦自承赌负。全厂人员咸围观此魔术发音筒。爱个人感觉则殊异。盖后曾自述曰：“余一生未经如此失常态者。良以余最不欲见初试辄成之举也。”是机即世界留声机之鼻祖矣。今藏伦敦南垦星呑（South Kensington）维多利亚与亚尔伯特博物院（Victoria and Albert Museum）。[1]

是夜爱克二人连试多法，欲得较优成绩。渐能贴箔更平妥，摇柄与筒更稳定。每记入一歌一文，令其发音，总觉度度惊人。翌晨爱裹机，挟往纽约谒“美国科学界”撰述员俾赤（F. C. Beach）。据一九一一年十月伦敦《世界事业》杂志（*World's Work*）托尔波特（Frederick

［1］此据常接近爱者所传出爱之自述。一八九〇年二月《哈拍》杂志（*Harper's*）载爱为雷司洛普（G.P. Lathrop）所述一篇。又一八七八年五六月，《北美评论》（*North American Review*）合号揭刊爱自撰稿。均略有出入。

A. Talbot）所报告当日俾之自述如下："是晨余据案未久，爱即求见。一见，先置其裹于案上，而解其覆。余询以内何藏。爱曰：姑稍待。及解尽，骤献其物于余前。余见有长轴，一端贯重轮，一端连摇柄。不觉握柄摇之，而机上类似电话受话器处，忽吐人言曰：'晨安，君喜此留声机否？'屡试不爽。余惊愕不可名状。而爱大有愉色。消息传出，同事争集，皆欲一试爱氏话机为快。

"爱当众出小锡箔裹筒外，整理其钢针至适当处。即向灌音口纵歌'马利有羔羊'等句。歌后，摇柄，立闻机中自诵该阕。听众无不赞叹。余效爱试记数音，再纵出之。余人以次玩弄，皆大欢悦。

"已而各报馆访员闻风麇至。爱一试再试，历二三小时。卒至室无锥地。余虑楼坍，始请停演。"

次晨纽城诸报悉记此新发明甚详。惟于原理，皆捕风捉影。当爱公布其电话上改进诸点时，报界已锡以"门园术士"（"The Wizardof Menlo Park"）之号。直至爱离门后，沿用不废。世俗自闻爱续制留声机后，更谓当之无误。从来新发明品之轰动一时者，要推此为最。一八七八年四月廿日美国《勒斯力画报》（*Frank Leslie's*

Illustrated Newspaper）至谓此机一出，行看日常生活将为颠倒。火车开特班赴门。参观人士挤满实验室中。其窃疑作伪者，亦繁有徒。美以美会牧师芬暹特（Rev.John H. Vincent）初以室内密藏口技家。乃特选圣经人名地名甚多，疾声读出。及机中诵来，丝毫不爽，始信服。盖芬明知他人决不能背诵如许之多且速，而不误也。

时华盛顿有女记者多治（Mary Abigail Dodge）以隐名"哈密尔敦"（"Gail Hamilton"）闻。为布棱夫人（Mrs. James G. Blaine）堂或表姊妹。邀爱往试演。即在其居为逐步说明，政界及其他要人群来参观。纽约省上议员空克令（Roscoe Conkling）与焉。或为介绍于爱。爱不识其为显贵，又因耳聋，未听真其名，不之意。随于记音器中唱入无理取闹之韵语"昔有某幼女，鬈发覆额隅"云云（"There was a little girl who had a little curl"）令其诵出。在座咸为忍俊。盖空固额悬鬈发一绺，与众特异。时人作讽画，多著意形容。而空早一见疾首。及闻爱机歌此，博得众粲，心滋不悦。或竟怪罪其仇家布棱授意所为，亦未可知也。入夜十一时，爱被传入白宫行政厅，演于嘿兹（Hayes）总统夫妇前。直至次日上午三时半止。

爱立时锐意改造较大较佳之留声机，备公演用。收发皆恃一膜。惟开唱时，另加喇叭口。正式组织公司，制造而推销之。先由纽约武斯忒（Wooster）街某小厂工人柏格曼（Sigmund Bergman）制造。柏曾在纽亚克与克鲁栖同凳工作，以技巧得爱倾注，寻积资自营生理，爱仍雇用之，使造碳发话器与留声机。时勒德帕斯（James Redpath）方掌波士顿之文化事业局（Lyceum Bureau）。由其指挥，划分全国为若干区。每区陈列试演留声机，须抽费百分之若干。至英国及欧陆方面，制造贩售之权，亦经派定贞琴教授（Prof. Fleeming Jenkin），挟机至爱丁堡（Edinburgh），演于皇家学会前。并借作研究科学之资。

一八五七年司各脱（Leon Scott）发明记音器（Phonautograph），或谓即留声机之先导，虽具一部分理由，惟爱之先识此器，则无明证。且司器只用于炱纸上记录音波振动状况而已，初未有进于此也。一八七七年十二月廿四日，爱呈请美国专利局，许其享受专利权。次年二月十九日，获批准。当此审查期中，并未发见他人有曾试为之者。故不满二月，即邀准。留声机之基本观念，在造成特种留音器（初称 Phonogram，后改

Record，即俗称话片，唱片）俾得借机械力，使重生原音之振动。从可靠记录而论，爱当先有重生之音波一观念，而后始得着手点。故克初制之粗型又似反因为果者也。

一八七八年三月卅日，《勒斯力画报》撰述员称是机曰“发语机”（“Speaking Phonograph”），殆欲锡以较正确之名也。此报社派代表晤爱于门园，爱亲为解释之。据是稿曰：“机制至简，运用至显，而竟无他人试扣其关，宁不可怪？既不借电，又可任意挟持。若论机件之复杂，曾不及缝衣机十五分之一。然能记存一切声音，不论乐音，噪音。”

别说则归发明之功于偶然。谓爱一日忽察觉本人发音时，音波使电话发话器之膜振动甚烈，竟能推其所连之钢针刺入指肉。然此事究如何发生，其后何能示爱以再生音之途，则无所闻。爱自云实肇基于试验自动电报时，时爱制有旋转压印板，上刻涡螺槽纹，无形中暗示其为今之所谓唱盘。爱置圆纸于板上，令一电磁石所连之一臂端之压浮纹针过其上。电磁石既活动，即压出浮纹模斯电符。更移纸就另器，器上备有一隆起接触点，则依次与纸上凸纹相遇，可重行传出原报，快慢随意。

一八六四年秋至一八六五年二月，爱充英的安纳波里电报生，司日报。惟入夜仍偕一他生练习接收新闻电报。两人皆常中断落后。爱于是特安置旧模斯浮纹记录器二具。其一能按传来速度而记各符于纸条上。另一则重行录出，较缓于初录。故新闻电报尽按每分四十字传至，可改按每分廿五字而重行传出。爱与帕姆力（Parmley）因得抄出极整齐明晰之电文。二人工作至一时止。匿去“自动记录机”，而听余员接余报。

他员多趁一时前小寐，或顾曲，不之觉。故爱等得常弄故智。然经理见一时前后所抄出电文，工拙大异，颇怪之。报馆直有烦言，不满于一时后所抄送者。已而一夜，报文特多。收报机拼命记录，而爱等终落后太多。报馆抗议，经理彻查，破露自动记录机，没收之。后爱于一八七七年试验自动电报时，即应用此原则。其时又已开始研究碳发话器，及振膜传音波法。至是始察得彼之电报“中继器”（“Repeater”）上之纸移动时（该纸可使动至极速，以备每分发数百字）辄生嗡嗡声因。自诘曰“今纸上浮纹可令重发电报音响器之起落声，则振膜之振动何独不可记下，而使重现”。此即触起爱之一八七七年秋大发明之动机原委也。一八七九年爱复呈请记音盘原理之专利权。此原理至今未废。惟因当时零星细故，未获邀准。而爱随后一心研究电灯，所发明新事项，至繁琐，竟使当世不复注意于此事矣。[1]

草创之留声机实太欠完善，未合普通用途。一则锡箔非记音佳材。贴放与揭脱，皆极困难。且所压成槽纹又太浅太轻，易于磨灭。二则圆筒旋转不匀，发出乐音自不逼真。而人语之音调高低，亦随转动速度为转移。三则辅音变软，致人语失去原神。然世俗之轰动，数月未艾。试演税之收入，颇可观。已而兴过，无复公演之需要，其机亦遭搁置，仅得科学家偶尔把弄而已.

然留声机之为爱氏癖爱发明品，则依然如故。一八八七年爱重出旧机，谋弥补其缺陷。心中认定必可改善，即积极进行。一八八八年六月，曾一气研究五昼夜之久。即在爱之一生中，亦不得不谓为罕事。计至一八九三年止，已赢得专利六十五种以上。至一九一〇年，竟达一百余种，皆与留声机相连属。足见其致力之勤，与改进

[1] 一八七八年爱得英政府特许专利证，亦包含本原理之应用。

之溥矣。

锡箔废后，代以特制蜡质空筒，果较前大佳。其法立成牢不可破。筒壁厚四分一吋弱。沟纹最深达千分一吋。蓄音时，用蓝钢砂（蓝宝石，青玉）尖刃代钢针。重吐音时，用蓝钢砂秃针。蓝钢砂为钢砂（Corundum）一种，硬度仅次于金刚石。虽久与筒纹磨擦，亦难损耗。至于执针之法，原用螺旋。其与筒面接触，不能合度。亦改用“浮重”（“Floating Weight”）巧法，使针端永按沟纹内崎岖不平之面上。然因本身质量之阻，不与针之高速振动相应。故仅容针之速振传至膜上。无论蓄音与重吐音时，针位适宜，可祛乖戾偏倾之弊。更装轴于固定轴承，使尖刃自沿轴移行，以就之，若车床然。种种改革，或长期沿用，或随试随废。

爱研得复制话筒法，乃能增广销路。初用锡箔时，殆亦曾试作型，备压制复本。迨用蜡筒，蜡不导电，不能电镀，顿感困难。久之，始创真空镀金法（Vacuous Deposit）。于真空内，悬二金叶，夹持蜡筒。由二叶间放高压电。更使筒转，则金被气化，飞积筒上，成极薄层。约当最薄纸三百分之一，即不及三十万分一吋。话筒沟纹最深处为千分一吋。则普通电铸法，显然太粗。得金膜后，可再镀他金属。镀至较厚，再撤去原筒。遂成坚型。浇冷水后，浸入蜡状融液中，即得蜡液凝成之复本于型面上。

菲城组织公司，行销此改良留声机。公司信以为将来商店采用，使记一切口语，无需再雇速记员。惟在当时，尚未臻此境。其后爱更改良之，制成轻巧便携，果合办公室之用。锡名曰，“爱迪风”（“Edi-phone”）。初次制就，租于商家。然续租者殊寥寥。复改行出售，亦不畅，公司竟倒闭。方是时，社会以为此利器不应听其无疾而终。爱因盘入旧公司生财，重整旗鼓，改向娱乐一方发展，专注意音乐，费尽心血，果独操胜算。

此期内爱又造投钱留声机。即效瑞士音乐盒制法，作高柜式。顶盖玻璃，任人窥视内部机件。配以长橡皮听管，塞入人耳，以谛听乐歌。凡投五分镍币入特开之罅者，即得闻之。仿佛大形听诊管也。惟吐音薄弱，又太尖逼，远不及日后成绩。

至于鼓动留声机之原力，向取诸电。既嫌笨重昂贵，又不便随地使用。且电动机发达未完美，虽小机亦难运用与照料。嗣改用发条，随处尽人皆可操用，至今如之。

一八八九年二月，爱之门园实验厂中最诚恳干练一助员哈麦耳（William J. Hanimer），在菲城佛兰克林学会（Franklin Institute）场上，演讲爱迪生与其发明。连带试证留声机，实可与爱之其他发明品，如碳发话器（微音器），及大声电话收话器（电动画器）相结合。一时大引人注意。于是纽约制成唱筒，重吐入碳发话器，试送一百零四哩外菲城。此一百零四哩中，有六哩系地下线与水线。由菲城电话局接入电动画器，再转送留声器内，复重吐入碳发话器。最后由线导至演讲厅中一电动画器，始散入人耳。计音波经过十五媒质，体性被变四十八次。可谓广播之先河矣。[1]

一八七八年四月，佛兰克林学会报刊普拉士（S. M. Plush）《爱氏碳发话器与人语留声机》一稿，谓时机未至，并妄测此机之将来亦无用云云。是年五六月《北美评论》杂志合号，揭载爱氏亲署一稿，陈述留声机之种

[1] 详见一九一七年九月《电工试验》杂志（*The Electrical Experiment*）。哈后参与爱之白炽灯发明事业，成著名电机工程师。欧战中任美国陆军参谋部少校。据其函告著者，谓电话界人当日皆预期是项实验不能奏效。

种可能。综列如次：（一）缮写书牍，及记录其他口语；（二）记录演说词；（三）教授方言，及训练演讲；（四）音乐；（五）家庭纪念；（六）游戏；（七）时钟附属宣报工作；（八）广告；（九）保存名人遗音。

又言“另一方面留声机将助电话达于大成。又将改革现行电报术。电话为用虽便，惜不留底，只限用于随意闲谈，与商业上不须录存之言词而已。倘电话中语，能自动被录存，则情势将大变。行必为人专用作记录言语之完美利器矣”。可见爱早有心创电话留声机（Telescribe），特迟迟方告成功。且俟后文补详。

爱所举九项用途，今只见其四，即：（一）预留函稿，备后照样从打字机缮出；（二）教授读音；（三）发口令，如指挥体操等；（四）重吐音乐，包括歌曲唱腔等。惟留声机一类物，终以末项为主要用途。而市售唱筒或唱片亦倾此方。一九二三年十月，菲城音乐杂志《音乐研究》（*The Etude*）主笔库克（James F. Cooke）发表言论，推崇爱氏为现代音乐界之最大活功臣云。

爱于原作中未提留声机与活动电影之合作可能。当一八七八年即有兴念及此者，亦必至空洞。然爱卒创活动电话（Kinetophone）合影戏共成有声电影（详第十四章）。科学家则仗留声机分析音波而精究之。一九二四年四月，纽约省斯刻涅塔狄（Schenectady）《普通电界评论》（*General Electric Review*）主笔休卫特（J. R. Hewets）曰："此一发明隶乎科学之域。至其多方应用，则于科学及通俗两途皆有莫大价值也。"

一八八八年爱之最新改良机抵英国。英国要人名流曾聚观，听其诵诗等。

嗣后美国国会图书馆，及哈佛大学等处，及他国若干文化机关，均有庋藏话筒处。盖为保存名歌曲家之杰作，伟人之声咳，各地之民歌，方音之特质，以及一切有价值之研究材料而设也。

迨爱氏专利权满期后，他人采其原则，分制各式留声机，分题异名。而爱氏之机则直传不替。后因匣式留声机不适用话筒，遂改筒为圆盘，即今通行之"唱片"。一八八七年柏力涅耳（Emile Berliner）获蜿蜒沟纹留声机（Gramophone）之专利权。片纹等深，而左右扭曲。爱虽改用唱片，仍守深浅沟纹旧制，使纹不横扭，而上下成陵谷。柏式今称维克特洛拉机（Victrola）。爱仍不满于已有成绩，立志欲能重吐音乐与真无异。复覃思苦试，久之卒得一种原料。制片后，坚固无比，且不与针磨擦作沙沙声。更创新蓄音法，及金刚石吐音针。据实验，一针可唱四千余片，仍不耗损。爱治事无不精益求精，且于机件，虽鳞爪之微，亦从不放松。一九一三年，九月四日，《独立》杂志（*The Independent*）窝尔士（G. E. Walsh）“爱迪生工厂伴游记”（*With Edison in His Laboratory*）曰：“爱每闻唱片发微疵，即命抛弃之。成片偶有微瑕，不许出厂。”

爱深信灌片之歌者须具特别嗓音，且解运用诀窍，始能产生佳果。爱最重片音之具一种悦人特性，且否认惟名伶为能有此。曾语其书记麦多克洛夫特曰：“余所望于歌伶者，在养成完好嗓音。从唱片中显其美质；而无事乎求援舞台环境，本人色相，及报界捧场。”《独立》杂志又记爱一日命毁若干唱片，并曰：“世人或以为是数子善歌，然大庭广众间，微疵不显。一经唱片吐出，而无所遁藏矣。”

爱重听颇深，去留声机三呎，便无闻。然能钻研留声机术，若是其精到，臧否歌曲，若是其严厉，宁非怪事？据爱亲向访问者解说曰："余以齿听，以头听。平常但头触留声机便足。若遇微音，不能悉得，则啮木而求之，无不明晰。"〔见一九一三年，五月，《四海》杂志本孙（A. L. Benson）"爱迪生新音乐梦"（*Edison's Dream of New Music*）〕爱自信内耳特别灵敏。"盖常人之耳能听音太多，遂被无量数噪音震坏。彼独免此。"相传爱尝诋某片中乐队之笛作辗轧声，遂弃之。又尝于访问者试片时，突问曰君亦闻该竖琴之踏板声否？其人后自承实不能辨踏板声。惟深佩"术士"之特别合调之耳，乃能发觉如斯微瑕〔见一九一三年，三月，《专门工业世界杂志》（*Technical World Magazine*）密拉德（Bailey Mileard）"能言之画"（*Pictures That Tolk*）〕。

一九二二年，爱之同志为举行留声机发明四十五周年纪念。爱曰："余方竭智试收贝多芬（Beethoven）第九交响曲入片。全班计七十五人之多。必尽得其微妙而后已。此功告成，余将引退矣。"

第十章　新光大明

一八七八年七月，爱操劳十年，未尝将息。遂乘机休假，且赴野外试用其微压计焉。七月廿九日，日全蚀。宾省大学理化教授巴刻耳（Barker）提议约爱同赴歪俄明特区（Wyoming Territory）观测日蚀与日之白光环。

日之白光环生热太强，远过微压计所能量，以致无结果而返。顾此器之本身价值，得以显。爱复随猎众游科罗拉多省西北部，大享边陲之乐。比八月终，东归治事，又埋首于新创造矣。巴见爱颇注意于电流分股而放光明之可能，因恿怂使专究之。

然电灯实非完全新发明。盖十九世纪最初叶，德斐勋爵（Sir. Humphry Davy）早已制成。时王家学院备有二千电瓶，组成一电池。德从而放光，果甚强大。于二线终点各接一碳极，使相触接再分离，而中生亮焰。碳极系平置，被热空气掀提，其焰弯成弧状。德之电流仅能得自电池。其后数十年用电光者胥是赖。因摩擦所生电，流强太低，而压差太大，全不适宜。然欲借电池供给大量电流，所费太巨，实不合算。

一八三一年，法拉第发见磁石发电原理。始知变机械能为电能。其后即有发电机之制。今日汽车所用，最为习见。此法生电，成本较廉。故电弧应用，又旧事重提。今之所谓电机工程，在当日不过限于为公家装设电灯而已。再先，仅有各式电报术，及小规模电镀术，属于应用电学耳。[1]

一八七八年，美国及他国电弧灯已发展不少。英法沿海灯塔均设灯机。伦敦泰晤士报馆曾试用之。和本高水渠（Holborn Viaduct），及泰晤士河（Thames）驳岸上，亦间有之。一八七六年，菲城举办开国百周博览会，奇巧杂陈。中有发电机，供给电流，以燃弧光灯。乃窝雷斯（William Wallace，一八二五至一九〇四年）所创制。窝任康涅狄格（Connecticut）省安索尼亚（Ansonia）城

[1] 一八八四年，美国电工程师始组电工学院。同年，菲城首开全国电业展览会。

某大铜器厂主。暇辄试验科学。系电灯首创人之一。一八七四年，二月，躬为美国制第一具发电机。亦首用发电机于美国电镀术。其运用发电机时，得力于助手法麦耳（Moses G. Farmer）不少。法于电报初通行日，曾为马省法剌明罕（Framinghan）电报生。一八四七年至一八四八年间，本电报原理，造成适用火警报信器。一八七五年，窝正式制售发电机。为窝法两合事业。仍续究各式发电机，直至一八八〇年。中有一式，据谓乃首用薄鳞片为发电子铁芯者。一八七五年，发明并制成第一美国电弧灯，仅一木架，上嵌两活动横条，各持一碳板而已。试以碳条或导线置两极间，与相触，即生电弧。取最低抵抗之水平路而移动。窝命童子执椎击横条，使两碳板凑近，以调剂之。

其后逐步改良。在美国首制弧灯碳。又自称首创铅笔状碳条，以代他状碳极。自从安索尼亚厂中装置碳板灯后，窝始用顺结法一气连通若干盏。其先盖皆分隶若干电路也。窝并未请此专利，故仿效者立起。总之，窝实电业先河之一，惜其功绩多不复为后人记忆耳。[1]

美国更有汤姆逊（Elihu Thomson），卫斯吞（Edward Weston），布刺士（Charles F.Brush），亦皆尽心研究弧灯者。一八七八年，波士顿工（程）师展览会中，陈有布所制小发电机，备燃弧灯用。后归波城一服装店燃其灯招。布氏弧灯通行于其故乡俄省克利夫兰广衢，及纽约城马的孙（Madison），联合等方场。

弧灯之碳极与自动调剂器，经多番改进后，当然甚便转变机械能为光。惟仍不免多疵，则碳之烧耗太速，须时常接续，又随燃随作嗞嗞声。至其光之亮度，虽未若悬测之甚，然正当焰下，亦极炫目，不能逼视。故使物投浓影。且在空气中燃烧，耗去氧极速。复生气态化合物，碍人呼吸。若面粉厂，煤矿，火药局中用之，直危险异常。且不能缩小，无以备斗室之用。

一八七八年以前一切实际电灯，皆无非各种形状之弧灯而已。惟别有一种已久在试验中。盖当电弧发生时，碳极之端变为白炽，如炉中煤，或电导火线尖端状。

[1] 一八九三年，二月八，十五，廿二，《电机工程界》哈麦耳“窝雷斯，与其电业上之贡献”一稿，所记皆得诸亲见闻。图说尤详备。

此至易观察者，宜可以启人以探究白炽灯之途也。事实上，治电学者早知电流经过难融而高抵抗之导体时，必生热，更由热使该体多少吐光。而此种导体，碳最为常用。他如高融点强顽金属，与合金，亦合此种试验。亦常经人察究。

一八四一年，英人摩林斯（Frederickde Moleyns）已试藏金属导线于半真空玻璃泡内，而后燃之。一八四五年，美人斯塔耳（J. W. Starr）偕同伙英人钦格（E. A. King）更将石墨条两端各系一金属导线，置于托氏（Toricellian）真空，即气压计汞柱顶上之真空内，成白炽灯。其他试验家有斯退特（W. E. Staite，一八四八），瓦特孙（J. J. Watson，一八五三）。士温（Joseph W. Swan），于一八六〇年烧纸条成碳，作导体。由若干格氏电瓶取电流，仅能烧条至红热，不能使白炽。法麦耳于一八五九年用铂与铱丝而接至一次电池上。后有索叶（W. E. Sawyer）及曼氏（A. Man）于一八七八年制为索曼灯（Sawyer-Man Lamp）。与前多特异。如注氮入泡等。氮性至呆，不燃，亦不助燃。导体在其中虽达更高温，亦不虞烧耗，故较在真空内，尤耐久。惟改进虽频，迄未大满人意。

爱从巴议，试行剖分电流而用之。即欲使一电路同时能燃若干灯，合众灯仍等于一弧光灯。此项分燃灯之烛光，约当普通煤气灯一盏已足。至弧灯之烛光强至二百或三百，实嫌太亮。故爱特择白炽灯而试之。此灯迄未完全奏效也。斯时专家辄诋剖分电流为荒诞。爱不为之沮。晚年自陈："余于电灯问题，钻研最久，试验最苦。然从未灰心，更不信其终不可为。至同伙中，则殊不尽然。余虽竭力探究经年，愧未发见任何新理。盖所用方法，悉属演绎，而所获结果，亦纯出自纯粹发明。余每自构一学说，从而钻进，至不可通，而后弃旧更新。此实解决本题之唯一途径也。"[1]

一八七七年，即爱方究碳钮发话器时，亦尝兼及白炽光问题（自九月迄将近年终）。初系碳带于钳，作电池之极。寻易硼，铬，钌等难熔物质。或直接置于电路中，或插入两碳尖之间。又羼硅粉与一种耐热氧化物，如石灰等，封入玻璃管内，试造电烛。碳带在空气中烧至白

[1] 见一九〇五年四月一日，《科学的美国人》杂志补编察赤尔（Arthur Churchill）"爱迪生与其初期工作"。

热，立被氧化净尽，全体粉碎。改用手抽真空，则可历八分之久。爱对耐热金属，及电烛等实验，初以为终无实用希望。次年因制留声机，未及兼理电灯。惟心中固未忘却。迨是秋，经巴请，遂复治之。此其长期奋斗之发轫，誓欲实现剖分电流之目的也。

九月初，往安索尼亚观窝雷斯所为。窝与科学家多相友。巴固其一。因约巴拆勒（Charles Batcheor），产德勒科伦比亚化学教授（Prof. Charles F. Chandler），及天象照像专家德累拍博士（Dr. Henry Draper）偕爱同行。爱向窝求得窝法发电机一具，及窝氏弧灯一组，供门园实验室用。同行者咸以金刚石尖镌姓名于酒杯上，留纪念。爱所镌甚细。文曰："一八七八年，九月八日，爱迪生作于电灯下。"窝什袭珍藏之。爱详察窝之工具与方法后，直言曰："窝君，余自信终能胜尔。子之取径未正也。"时窝非独竭力拥护弧灯，甚且试造多碳极灯。有多至四十八碳条者。然当时此数辈科学家实彼此互相推崇。哈麦耳谓窝常称许爱；又哈尝问窝于爱，爱答曰：

"彼实身当劳役，特他人坐享其名，且坐收其利耳。"[1]

爱既归，立沉浸于气体放光问题。穷搜旧杂志，遍检煤气公司报告书等。其所辑工厂记事录在探讨电灯问题时，已达二百余册，四万余面。内容琐屑有如下例："爱之目的不在制造奇亮困目之光，而在制造柔和悦目之光，与煤气灯相仿佛"；"爱之目的在完全仿效煤气灯，而以电代煤气"；"煤气燃烧时，成若干化合物，极不适卫生。故如马迪生场新戏院，须于每灯上附装通风管，以解除之"。又列世界各国煤气灯事业之投资估计数，一年逐月用煤气量之比较图，及预述将来煤气供烹饪取暖者多，供照耀用者少。由此可知爱之调查煤气事业，殆无微不至。当日工程师恐无知之更审者矣。

常人或信爱之成功纯由幸运，初未知其用心之苦。观此可不攻而破。更有指为魔术家一流者去事实更远矣。

爱筹资三十万元，设爱氏电业包办公司，备大举。

[1] 一八九三年，二月一日，《实用电机工程师》第一〇五面："美国不少发明事业之争端，皆待查明实系窝氏及助手所先尝试后，而归平靖。如布刺士自称创制弧灯啮合子，实乃怀特（Leroy White）示意窝所首制。又爱自称首用增减场流圈数法，以控制发电机之发电量，实亦先经窝手作电铸用云。"又见同月廿二同刊第一八二面。

聘熟律师罗累（GrosvenorP. Lowrey）为法律顾问，又得摩根（J. P. Morgan）及维拉德（Henry Villard）等财户相助。遂就门园原野之上，鸠工庀材，兴筑工厂，从此门园跻列要地。门园傍铁路之西，略高出路基，容住宅五六所。其后即爱厂址。东北角建小砖屋，下供营业部职员办公。上庋专门参考书籍。屋西南为二层长厦，总工厂在焉。下层包罗化学实验室，及特制固定试桌。上载各种仪器，并连结于电线。盖当日尚不解制成轻便式也。二层则属主要实验室一大间。设有专器，专备试验白炽灯之一切重要问题。四壁遍支高架，满储药瓶及他材料。余隙则散置电池及长案。案上尽陈工具仪器等。屋之西端，置一钢琴，系罗斯福（Theodore Roosevelt）之堂弟喜尔波因罗斯福（HilborneR.）所制。爱每就奏，手法殊幼稚。[1]

正屋后有木工室，及汽油蒸发机。其后更有广大砖建工厂。内包汽锅及汽机。厂后毗连林木，归克鲁栖料理。

---

[1] 喜尔波因罗斯福（一八四九至一八八六年）以善造钢琴闻。又与电学界有关系。曾发明电话要件数种。而于电话开关，享专利权多年。对贝尔电话公司，亦甚关切。

窝所供给之一组弧灯，恐未装用。其窝法发电机，则当试验用。方爱勤究白炽灯时，夜以继昼。赖汽油蒸气之燃烧以取明。如是数月。

电灯初兴，正在发展时，英俊青年多集爱厂中；主算理问题者，有阿普吞（France's R. Upton），初肄业普麟斯吞（Princeton）大学，后从赫尔姆霍斯游。某同伙言牛津大学专修算学者见阿运用微分积分方程式，无不神往颜开。正技师为巴拆勒，原自英国渡美，为纽亚克城克拉克（Clark）线厂装设绕线机。后亦归爱。号称“爱氏之手”阿尤器重之。誉为判断精严，百折不回。至爱之唯一知己益友，则约翰孙（Edward H. Johnson），初供职但维尔（Denver）与大河（Rio Grande）间铁路，嗣辞去，而助爱试演长途自动电报（一八七二）。复代表爱氏赴英，推销其垩柱收话器（即“电动画机”）。约以职务性质，故留门日少。此外波谟（Ludrvig K. Bochm），福耳斯（Martin Force），泽尔（Francis Jehl），罗孙（W. Lawson）等，均同志也。

一八八一年以前加入门厂者，有英人安德鲁兹（William &. Andrews），共服务爱氏各公司垂廿五年。

后任通用电器公司（General Electric Company）工程顾问。有哈麦耳曾充纽亚克卫斯吞展镍厂厂主卫斯吞之副手，继为爱大尽心力，经营国内外事业。又与斯普累格（Flank J. Sprague）合办维基尼阿省里士满城电车（一八八七），规模冠全球。有利布（John W. Lieb），自绘图员升至纽约爱氏公司副经理。有克拉克后任纽约爱氏电灯公司总工程师，卒为通用电器公司工程师。有阿拆孙（Edward G. Acheson），一八九一年试造金刚石，于电炉中无意发见碳化硅，极坚硬。作砺用，谓之硅砥（Carborundum），代钢砂。制时，混焦煤与砂，加木屑与食盐，使化合增速。热至高温，可得结晶体。硬度几等金刚石。虽硫酸等强酸，亦不能损。有尼科尔斯博士（Dr. Edward L. Nichols）出身柏林，来比锡（Leipzig），格丁根（Gottingen）三大学，又入约翰·霍布金司（Johns Hopkins）大学研究。一八八〇年至一八八一年间之冬季，入门厂研究。一八八七年，任康乃尔（Cornell）大学物理教授，直至一九一九年。曾著课本数种。

巴，阿，爱，三人各有住宅。爱家以吸水风车显。邻近为约但夫人（Mrs. Jordan）所设宿舍，爱之雇员居焉。

据爱自记，“共得四五十人合作。工作时间甚长。仅许眠四至六时，专人司睡签，按时分告各员工”。泽尔曰“爱每治事，迄翌晨三四时，始就卧工案上。取书二三册，枕首，便睡熟。此外效行者，亦时有其人”。约翰孙曾以此等时间访门厂，则见人人尚在奋兴工作。阿尝言：“余每谓爱君秉赋过人，治事不知劳倦。遂不解他人之心与力，竟有穷时。彼能继续工作极久。不欲停，即不停。且睡魔亦听指挥，非时不犯。”

爱精力固绝伦，又幼习电员业，故熬夜为其惯技。平生好责人睡眠过多，盖常推己度人，易出此言。在纽亚克日，曾以是故，重誉一职员。则以其人亦与爱同习。中夜欲眠，仅偃卧工案二三十分顷。复起工作，精神已一新云。爱得其人，宜绝对中意也。论者谓爱只见新发明品之完成为目的，而不恤人力以赴之。颇似拿破仑与格兰特之所为。然泽尔曰：“爱之人格习行，深感群众。故员工惟命是听，甘为作苦，而不怨。盖敬视之如真伟人也。”同人中多英年之士，方期远大。其愿刻苦，非偶然者。自信既力，更信爱氏不移。虽经挫折，仍勇往直前。誓为所业放一异彩也。

夜工至半，例进宵食，且予休息之机。营业部人员，或爱之旧友，每乘时加入。食罢，间奏乐。不过喧唱和歌，或一弹钢琴。或由波谟独抚横琴（Zither）而独唱。镇日工余，惟有此乐。其他例假，则在夏日。爱言："年中既已完成有价值之工作，余每乘夏日在大西洋畔安波衣（Perth Amboy）赁一帆船，载同人游钓二日。"爱善忍耐，故宜于钓。某次在沙湾（Sandy Hook）内侧，空竿垂钓二昼夜之久，不稍休。卒受同行迫促，始解缆他去。

爱既以剖分电流，分燃多灯为己务，则种种试探，自必根据最初研究心得为出发点。是灯须兼合科学条件，与商用标准。其白炽物质必具高抵抗，与小辐射面。至少能耐二千余度高温一千时之久。在商用方面，又必须不畏日常撞击；易于处理，工省料廉；且使电线用铜之量，减至极少。尚有一端：既欲以取代煤气灯，则亦必似煤气灯之能各自燃熄，不累同电路他灯。而总管全区电路内众单独电灯所费，又必求低廉而后始可与煤气业竞争。

欲使各灯各自为政，自须采用复路（Muetiple Circuit，即平结）法，而顺结法断不可用。复路与顺结为普通分派电流之二大方案。顺结者有如一大环，其上直接安插全数灯盏。电流沿全环而过，须经前灯方达后灯。倘有一失调，全路立阻。盖电路必首尾衔接，或全赖导体，或利用地球作归路，然后电流始通。总之，顺结诸灯，恰似串珠。串断，珠散。故必赖绳之完整而后能共存。

至复路法可借梯为喻。梯之两柱，犹两平行导体，一阳一阴。诸横级则似各灯之单独部分电路。各灯各以一极连于阳导体，一极连于阴导体。梯缺一级，两柱安然。即灯坏一盏，全电路仍通，他分路亦仍通。然则爱之必用复路法，可大明。

灯之白炽体既须断面小，即须细，又须抵抗大。白炽由电流遇抵抗生热而成。导体之抵抗视断面面积为反比例，则白炽体所生抵抗，自必大于导电至灯之线所生者。否则灯中所需之热，反耗于线上矣。顾爱之前人适得其反。皆试用粗大而不善抵抗之导体为灯芯。若论灯芯之抵抗，须顾电流之电压即电动力。电压可比作水压，即水头或压头“Head”务求其高。而电流之强度，须求较低。电压愈高，灯芯抵抗须愈大；愈低，则导线须愈粗。

增高电压时，达一定限度后，即无从求再细灯芯，以供充分抵抗。反之，减低电压至某点后，则制线太耗铜。亦不合商用。故一方须使电压高至不太耗铜；一方又须顾到灯芯易达白炽程度。而灯芯须细至能生充分抵抗，仍不过脆弱。

爱既欲解决诸多困难，遂重取碳带而屡试之，几不计其数。碳带即灼纸条为之，并兼试木碳及坚碳（如弧灯所用）。又取制纸之纤维质条，涂以炱及煤焦油之混合物。压扁，再烧焦，作灯芯。因真空泡系仗抽气筒抽得。碳带入其中，仅能燃十至十五分耳。爱信碳当能适合白炽条件。惟在彼时，无论用尽何种合格环境制约，亦不能使之登实用之场，则无庸讳者。故爱终不得不快快放弃之。既舍碳，则惟有返诸顽强金属。

铂与铱俱以抵抗大闻。爱特取制灯芯线，复试耐热齐类。先就空气中，更藏真空泡中。其真空仍不出手抽。金属线虽较碳丝耐久，然须强电流始能使其白炽。而电流太强，未几即熔去该线。于是爱特于电路中插入控制机关以调剂线之温度，使免溶解。如用金属杆接电路中，迨电流转强过甚，杆即变为一分路，或短电路。如用管藏空气，或他气体，迨其膨胀，自能推动一膜，使生相当工作效果。然皆不可靠，更试绕铂线于耐热氧化物圆柱外，仍失败。据其实验记事录所载，凡试一千六百次之多，屡易矿物金属等原料。

一八七九年春，门厂特陈金属丝灯，专供公司关系人观摩。计灯数盏，用铂丝为芯，按顺结法，悬于机厂。据泽尔云，所接之发电机系格兰姆环(Gramme-ring)式（殆即窝雷斯所制；窝能制各式发电机。其初制之机，及在百年纪念展览会场上所用者，皆具此类环状发电子）。展览结果，殊失人心。爱初嘱克鲁栖多放电流，一而至再。一灯始微吐光芒，弱似远星。惟随即一爆而熄。巴拆勒摘去坏泡，易置新者，亦复如之。再试依然。泽尔甚至谓事后室中皆碎泡，不得不大扫除。

然爱自有进步可述。计已发见白炽体必须严藏不透空气之容器（即今所谓灯泡）中。是器前此全由玻璃制成。依已知可能法排去其中空气至最少限。铂丝在空气中生四烛光便熔。及入是器，虽生廿五烛光，亦不熔。又察得方在抽出空气时，应即通电流过白炽体。因真空程度虽高，仍有氧残余，终为铂害，爱以为此氧殆预含于丝质中，而随丝封入玻泡之底。若当抽气时，即燃丝使炽，宜可尽驱内藏之氧。试验后，果然。

既获新识，复返而用碳，固持不释。碳系多孔物，极善吸收气体。如木碳可供保藏食物用，故抽气时更必须通过电流。又爱因试验铂丝而究得铂之熔点虽尚嫌低，发光虽弱，顾膨胀系数则与玻璃等，天生最适为灯芯导头（Leads，即导电流出入灯泡之二线）。将其熔埋玻璃中，热后与玻璃仍相接紧，不致漏气。于是用铂为导头，历有年数。但其价过昂，又拟觅代。幸而获之。则两金属之齐，其共同胀率乃正合格。

自爱初发明留声机始，报界即视爱为畅销之靠山。惟不久爱之新工作之目的已大明。时人皆知爱信电流可剖分，而且方设法剖分之。门厂及爱友巴刻耳等以外，美国内外苟有专家与爱同信仰，或预期其试验成功者，亦未必明言。反之，如英国著名电学家普利斯（William H.Preece）竟藐视爱曰："欲剖分电流，使发零散之光，实完全妄诞。"其后爱既成功，普不免为人议矣。英国下议院召集委员会举普雷非耳博士（Dr.Lyon Playfair）为主席，讨论电灯事宜。惟报告书中竟不视爱为足重轻。独名家丁铎尔（John Tyndall）立论较宽容，较谨慎。惜仍未多怀希望。其言于王家学会前曰："爱氏能深深贯彻事实与原理间之关系，又得奇才，足使实现为新巧器具。故虽迄今未尝于电灯方面著何新劳绩，然我侪终未便擅议其力不足当此重任也。余略识此中甘苦，故见爱君孜孜于此，方庆得人，而不欲再躬亲尝试也。”[1]此外多远不若是虚心恭逊。甚且横加“痴人说梦，胡思乱想，信口雌黄”诸恶称。报章批评，亦多漫肆讥笑。学者或援数理，力证其自寻不可能，断归失败无疑云。

然爱则仍照常准备其用材。碳之熔点高至华氏七千度，即摄氏约三千九百度，实超出一切物质。但仅此一长未为足。盖从爱氏计画，须制碳成均匀稳固之灯心丝，其断面径必小至一定程度。逾廿五年后，爱偶述昔日困难如次：“试思碳丝细至何等程度，热至何等程度，又藏匿真空之中，环境情形，全不可思议。目既不能见，只得听其在泡中自变而已。余对电之发光，曾假设各种理论至三千之多，皆持之有故，言之成理。及经实验，只余其二。余所最感艰难者，则在制造碳丝。此而不成，

[1] 见一九一〇年，二月廿六日，《旷观》杂志怀特“爱迪生与白炽灯”。又一八七九年，二月，《半月评论》（*Fortngiihlty Review*）丁铎尔曰：“电灯（指弧灯）虽已诞降七十年，仍奇昂，不适商用。”又预料电终能照耀街衢，会堂，船埠，屯栈，市场等处。即居室之中，不久亦必能享用云。

光不能生。”（一九〇五年，四月一日，《科学的美国人》杂志补编察赤尔“爱迪生与其初期工作”）

除苦究碳丝外，又试造高度真空。一八七九年十月一日，完成一特种抽气筒，可抽剩一百万分一大气压力。阿普吞述：“爱每需一物，必立致而后快。虽专人急足，不辞也。余犹忆方初试电灯日，需汞抽气筒以排空灯泡。直遣余赴普麟斯吞大学求之。比返，日已晏。连宵负筒入实验室，支置，而即运用之。达旦未休。盖急于求得结果也。”爱始终未放弃碳导丝之计画。欲其细而经久，覃思冥索，迄无良法。忽悟何不试用缝纫棉线，以其紧凑且细，灼焦后，或竟能完全胜任，亦未可知。

乃折线为短段，曲作发钗状，置镍型中。移入烙室，隔火逼之。五时后，取出，候型冷，启之。提出碳丝，封入泡内。此际须极轻巧镇定。爱与巴合作两夜一昼，费线全轴，始得一段未碎。据琼斯（H. A. Jones）《爱迪生传》言：爱谓“须持碳丝至吹玻璃处。[1]即由巴携

[1] 爱氏实验室侧有小屋，设汽油蒸发机，备吹玻璃之用。其后就铁路他方旧木屋中，专造白炽灯。其最初吹制爱氏灯泡之小建筑物，今仍存于新泽稷省哈立孙（Harrison）城通用电器公司灯厂内，为纪念。

此无价宝，小心翼翼而行。余随其后，若护巨藏。及甫抵吹工之案，碳丝忽断。余等大惊。复归重制。午后久之，始成第二缕。不幸又毁于起螺旋器下。于是三度为之。未夜，卒纳入泡中。及抽出空气而封固之。一通电流，居然满意”。时一八七九年十月廿一日也。

此灯继续放光四十余时。巴、爱等众围观，且以灯寿为博，及灯灭，成绩果大过前人。遂于现代发明事业中赢得席地。至是证明碳能耐热，远胜于铂。而电流亦确能剖分。计始业以来，历时十三阅月，费钱四万余元。得此成绩，足偿所失。至移动轻脆无比之碳丝，功属巴拆耳，虽爱未能或先。

就商用言之，四十时诚嫌太短。故爱更广取诸含纤维之有机物而遍试之。略举数种，足概其余。

麻袋之麻索	各种画图纸
一种桃花心木	钓丝
黄杨木	亚麻
各种纸板	美洲胡桃木
桧木屑	灯炱

人造象牙	械木屑
椰子鬃	饱吸煤焦油之纸
椰子壳	石墨
软木	引火朽木
浸过热煤焦油之棉	麦肯基之赤髯
棉线麻线	多股绳
细绞线	硫制纤维
煤焦油及炱制过之线	木柿
薄纸	

最初制白炽灯，曾用螺旋灯丝。系先由煤焦油与灯炱合揉成糊或油灰状。爱尝命厂员制此混合物，再屈成细条。已而助手将其物至，谓调制有误，性脆易崩。爱诘以曾揉若干时。答曰：一时余。爱嘱再揉数时，果不复崩。据云此料可抽制千分之七吋径细丝。阿拆孙曾用一百吨水压力，压成石墨片，为爱割出细缕一万六千。原订约系三万。阿见其发光虽强，惜太不耐用，半途而止。

此期内所试各物质中，当推纸最合格。尤以就商用而言为然。爱之初制正式电灯，即以纸灼焦为碳，作灯心之丝也。其供实际燃用者，已数十百计。除厂内及门园人家，更行及邻近孔道。怀疑者指摘，妄作聪明者肆议。他乡闻报，特走来观之。归而告人，谓果有新光大明矣。

一八七九年，十二月廿一日，《纽约捷报》城讯主笔奥耳（Albert E. Orr）晨入办公室，忽见编辑部经理昆涅立（Thornas B. Connery）冲入，摊出当日报纸，悻悻然若怪罪状者。奥颇觉其来突如。盖平日须迟二三时后方见昆来也。昆诘奥曰："奥君，是稿何竟予刊布耶？所谓绳上缀灯云云，人读之将谓君与本报开玩笑。设为本涅特（Bennett）君知之，则如何？"奥安然答曰："彼将谓是乃报界历久未遇之超群出众大特色耳。"时昆所指则全幅新闻，专记爱氏白炽灯者也。昆寻复哀恳曰："子不闻此种光乃全背自然定律乎？不闻已经学者证明为不可能乎？此文究出谁氏笔？"奥曰"福克斯（MarshallFox）"。福居纽约报界访员明星之列。先一年曾随科学团远征歪俄明省，观察日蚀者也。昆复抗议曰："然则此明星记者何竟自欺欺人若是？盍速访求之，及早更正，免铸大错。请君勿再饰辩。执福见余为上。"

即奔出奥室，归己室，决意查究向所最信任之撰述员何轻听流言乃尔（见一九一〇年，二月廿六日，《旷观》杂志，怀特《爱迪生与白炽灯》）。

然福文一布，结果全反昆所逆料；非惟无人讥诮纽约捷报，甚至社会大为奋兴。乘一八七九年岁除之机，筹设白炽灯展览会于门园焉。铁路特驶专车。参观人逾三千。中有不少闻人，皆欲一睹枯枝上所缀新强光灯。[1]

一八八〇年，一月十日顷，报界对爱新制品已改趋信仰态度。如《勒斯力》杂志，竟为解释甚力："爱氏电灯虽似无稽，然实由小纸片所构成。其纸小至嘘气随逝。通电流过之，即生悦目之光。融和有如意大利秋阳衔西。爱制炼此纸，使较铂尤耐热，较花园石尤耐久。顾手续亦非至繁。只须纳纸于闷炉逼之，俟其他元素咸脱去，仅余碳质间架，即移入玻璃泡。泡与电线相接。线则导自发电机。更排去泡内空气，而工作完成。燃用时，无烟，无臭，无损害人物之气体。见光不辨焰。绝

[1] 向使爱能先守秘密，待完全准备制售而后公布，则事势当异。惟爱既创造成功消息，自然不胫而走。其后年余，方力能登商品之场。在此期内，好奇之士咸集门厂，户限为穿。及爱正式制售日，国内外之以改头换面之白炽灯。同时号召者已繁有徒，盖无足怪。

无危险。不须火柴，不生大热，不染污气。又不闪跃。且据发明人云，视最廉之油尤廉。”

此文兼述灯之制法：“纸碳殊易制。由厚纸板凿出小马蹄铁状之条，约长二寸，宽一寸八分。每次平置纸条若干于人手大小之锻铁型内。各以薄纸分隔，加型盖后，纳入闷炉内。渐加热至华氏六百度，更移入明炉，炙至白热，始取出。听其渐冷。及启型盖，则见小马蹄铁形诸纸条，皆焦黑成碳。即移装玻璃泡内，接至电源，抽去泡内空气，严封其孔，即可备用。”

一八八〇年，二月，《斯克立柏月刊》（*Scribner's Monthly*）载阿普吞一稿。经爱认为第一次发表最忠实记录。其标题曰：“爱迪生之电灯”。阿久受科学训练，故能洞入毫芒。更作概括论调如下：“电灯在家室中，供取明之需，固极切实用。然同一电流，可生运动，又可生光，岂非力（意指能）可转换之强证欤？观爱君所为，可见此转换全程。碳构成林木，木吸收日光之能，而存储于内，久待释放复为光。及古林变煤。煤经燃烧，生热。热逼水蒸发，得汽。汽机转动，使发电机发电。其中之能，曾历经化学，分子，机械，各种变化。终于坐待天才，为加最后点染，使灿然吐出万缕光芒，以普照人世。”

若谓当日发明棉芯灯之人未尝自满，则爱虽较进而制成纸芯灯，亦奚能满而自封？故爱一方限制制造此灯之数，一方仍锐意求进。操显微镜而遍检诸手头零碎物质。除前单所开各物外，复究及若干草木，试灼其纤维为碳，而用之。一八八〇年之初。一日偶于试验场中拾得棕叶扇（即蒲葵扇）一柄。此固极常见物，惟是日爱连观不释，见其缘围以细柔竹丝。遂扯下，授一助手，嘱其相度长短，切为最多数碎段，备作碳丝用。及试燃灯，竟大胜前此一切。爱惊喜欲狂。即自定竹为灯芯唯一良材。惟爱之天性，非穷尽人力，不轻易置信。故虽得竹而仍欲求群竹中之最合格之一种，或求棕榈等他植物之终能胜竹者。

于是大索植物纤维。前后十年中，时遣冒险之士，远征热带，访求最合格之草木。更预授征人以抽制碳丝详法，给以工具，俾便当场采验。此辈每得较有价值者，辄捆载寄归。爱则取而一一详验。计历验植物六千种之多，而竹为主。采竹丝时，自茎皮下紧贴之层，顺纹劈分，即得。综核远征所费，达十万元。

中国与日本产竹种类最繁，故从此二国入手。初派穆耳（William H. Moore）于一八八〇年夏赴东亚。深入中日内地，历尽艰辛，复多受土人仇视，积久始相洽。穆采竹多种寄归，由爱选定日产一种为最合。即与一日农定约，按时供给若干量。日农善于改良竹种，竟能出货日佳。爱以是竹纤维特别均匀，乐于久用。

东亚人之重用竹，盖非西方人所能领略。其在中日等国，直谓竹之产量多少足影响民生，亦不为过。

自经爱探讨，竹又多一用途。是竹自原始时代即为人用者，今且于最新科学上显矣。

一八八〇年，十二月，有熟识南美植物之布牢涅耳（John C. Brauner）者，衔命赴巴西帕刺（Para）深入森林。跋涉二千哩，经白人未经之地，采得草本及棕榈类极富，惟终无胜日产竹者。

实验室中职员之一名塞格里多耳（Segredor）者，则往古巴。塞曾在门厂几肇大祸。缘有同伙数辈揶揄之取乐。塞不耐，扬言有敢再犯者，即杀之。众以为戏言。明日又有弄之者。塞疾趋出厂，返宿舍，攫枪来。众惊避林中，仅余其一。卒劝塞息怒，风波始平。嗣后同人不复戏之。至是受命往古巴求纤维。不幸甫抵哈瓦那（Havana），即罹黄热病。未一周而亡。消息传归，厂工争其遗缺者多至六人。然爱以为古巴未必多产适用之竹，遂不复遣人。另有往探佛罗里达（Florida）之扇叶棕榈与牙买加（Jamaica）之竹者。惟棕榈无一合格，而竹亦皆不如已入选供商用之日产竹。又罕宁吞（Hanington）则旅行乌拉圭，阿根廷，巴拉圭，及巴西极南部。

其冒险最甚者，当推马克哥宛（Frank Mcgowan）之探秘鲁，厄瓜多尔，科伦比亚三国荒野。曾九十八日未易里衣。取径皆出入蛮荒，与猛兽，毒虺，生番，恶虫为伍。又数遇潦涨，失其向导。罹热疾二度。前后历时十五月。一八八九年，五月二日，纽约《夕阳晚报》（*Evening Sun*）称马之行纪可与古来最大旅行家之名著并立。然马返美后，一度宴客于纽约酒肆，畅谈历险经过，亲送客门外后，便阒焉无闻。诚至足怪。

新泽稷省槭树镇（Maplewood）其校长立卡尔吞（James Ricalton）老于游历。亦为爱效劳。渡英，穿苏彝士运河，抵锡兰，入印度。穷搜高原幽谷，更经缅甸及马来半岛他部，始取道中国日本而归。去之日，校生集送车站月台上。比环游而返，适一年整。立自谓“觅得一种纤维，胜厂中现用者二三倍。”盖指锡兰缅甸所产百五十尺高一尺径之大竹也。[1]然是时爱正在试制一种人工喷射纤维（Squirted Flament）。用可溶纤维素，自压机孔喷榨出。干后颇似猫肠线。再切断应用。经高温碳化后（温度愈高愈佳），其质极致密，且特富弹力。遂渐入商品之用。至爱之白炽灯得于商战场中立足者，实竹碳丝为首功。日本农人所种竹，品质与年俱进，故爱乐用之。九年内未易他料。即迟至一八九〇年后，竹碳丝电灯仍通行。一九〇八年，尚偶见于特制灯也。然爱既辟此径，遂大予他人以继进之基。通用电器公司即改良人造灯丝，成所谓珍宝电灯（Gem Lamp，自General Electric Metalzed得名）。其炼碳所用温度，高于前此所有。故成碳后，竟具金属性质，抵抗大增，能耐他灯所不堪受之高温。普通碳丝遇高抵抗及高温，即趋挥发。丝既易损，泡内复停积碳层，阻光不少。此特炼

[1] 见带马（Dyer and Martin）二氏之《爱迪生记事录》一卷三〇七面。立曾致书作者曰:“余虽领爱命周游探索，实仅亲晤爱一二次而已。”爱之欢迎立时，伸手即问“君得其物乎”？立曾为纽约安得武德安得武德（Underwood and Underwood）公司制风景像片，专备。

碳丝则免此两弊。盖颇似强顽金属或齐也。

是后复返求诸耐热金属。先抽钽为丝，成效平平。因熔点虽高，比抗则太小。须用长段钽丝方足，颇碍制造。其灯丝作若干之字屈折，别于他灯。

继试用钨。熔而喷之为丝。钨丝初极脆，不堪用。斯刻涅塔狄之古力琪（Wllarstm D. Cooldge）多方冶炼之，始更其性，竟能制极细极韧之丝。从此增大电之发光效率至三倍。古任通用电器公司研究部员。一九一四年以炼钨有功，受刺谟福德（Rumofrd）奖章。而钨丝灯大行，巨细悉备。街衢所用则仍依索叶与曼氏旧法，抽去空气，而实以氩氮等不活泼气体。一九二一年，美国共造钨丝灯一万五千四百九十七万一千盏。

已而复有所谓涅斯特（Nest）灯，以氧化镁为丝，由旁置铂丝圈之辐射热使变白炽。又有所谓日光丝灯（Helion-filament Lamp），以硅包碳丝外，发光白而强，故名。惟制作较繁，且不能造为烛光支数较少者。灯芯不须藏真空泡内，只罩于乳白玻璃球内可已。

哈麦耳专究电灯史。曾搜集最初式，下及一九一三年出品，逐一陈列纽约联合工程师协会电机工程学会内。以是获佛兰克林学会之克勒孙（Erlliott Cresson）金奖章。一九二四年，白炽灯益进步。小自米粒之细，大至十五吋径，十五万支烛光（见一九二四年一月廿五日，《纽约时报》）。

爱于初试棉线电灯后卅六年，发表意见于一九一五年十月九日，《电学评论与西方电学家》（*Electrical Review and Western Electrician*）曰："发明事业无止境。今之白炽灯何独不然。理想之光应有光无热。是非一蹴可致。今日白炽电灯诚廉于前此一切。惟将来必可更廉于今日，且不若现之耗能于热。所谓'萤之光方为理想标准'，固具一部分理由。惜此仅就冷之一方面而言，于光色不足取。设有千烛光之萤，以照耀通衢，其绿黄色岂不可？厌然无论如何，终有一日可比较接近萤之光效率，而不袭其色。此须痛加钻研，一如我侪一八七九年所为。方有日新又新之望也。"

第十一章　施行整个取明新制

爱既成适用之灯后，而用电取明之全盘计划乃大定。然未曾实施前，须先准备适宜之发电机，安全之馈电法，可靠之量电器等。此外自发电所至灯盏本身，中间经过许多层次，更须处处安排定妥。而爱所现有者，只锅炉与汽机供推转发电机而已。余皆须亲为之。马丁尝为爱辩护曰："世俗每谓爱发明电灯本身，责任便了。此与见卫尔斯巴赫（Welsbch）煤气灯盏，而谓煤气取明事业尽在是者何异。爱实发明一整个新工业也。"（见《爱氏四十年事业记》）

时发电机原备弧灯用，全不合爱之需要。盖动能之变为发光电能者太少。即号称最经济之格兰姆式，仅得百分之四十一。是所生电竟有大半不出机身与导线之外。爱坚信可大改良。同时专家多谓发电机之内抗（属于机）

应与外抗（属于电路）等大，奏效方最佳。爱则谓此条件只合一次电池，非所以语于合格之发电机。况须兼顾营业方面，必多导电能至厂外而售之，不可空耗于机与导体内。

外人闻爱拟另造发电机，效率经济超出现行标准，又争诽议之，攻击之，训斥之。以为复犯当年剖分电流之妄诞。此辈既未周详研究发电问题之算理方面，复未施诸实验，贸然反对。语语皆一口咬定。爱曾为电员，熟谙磁性及电流诸作用，又能独运理知，遂改辙更弦，别谋出路。其后霍布金司博士等始凭算理分析此问题，而发见其定理。惟门厂中人并未曾享受此种指导，但由阿普吞布算列表，画曲线，绘图，孜孜矻矻自供材料。教科书既鲜，复言之不详。且名词亦无从稽考。阿举例曰："余深忆爱君命余试置电动机于复顺结电路中，须保持一定抵抗。余求助于前人之作，不可得。关于电动子对本身工作发生反电动力一问题，竟无人论过。不得不完全自下工夫，以解决之。"（见带马二氏记录，一卷，二九六面。）

爱立志改良发电机，卒告成功。自一八七九年夏，即与白炽灯问题同时并进。先研究发电子之铁心。旧式系实心者，内生佛科电流〔Foucault current，即涡状电流（Eddy currnt）〕变热，而多耗能。爱改用铁片，卷作圆筒，绕以铁线，成同心圆。又试卷绝缘铁线成圈，而废圆筒。更剖分实心铁心为若干薄片，各间以纸。此鳞片状新铁心果大减涡状电流，可省耗能为热。爱复裂整流子成片，各隔云母。据泽尔述，用云母绝缘，实始自爱也。爱大增磁石内之铁量，视前远过。时人目为笨大。

爱又分究各种铁之磁性，及磁场之约近饱和点，即磁石所能施磁化之最高限（知此而后可免虚耗电流），及发电子铁心之绕法等。泽尔等试作木质假发电子，绕以多股绳，代金属线。数辈竞制，以迟速博胜负。阿普呑则据假发电子所得结果，推算真发电子应如何绕法。阿所算出结果，似未经发表。惟于实际上，效验甚溥。及克鲁极造成第一具爱式实用机，并试用后，竟收效远过旧机，令人惊奇。阿尚疑计算效率有误，屡屡复验，并无少差，始知新机效率已高至百分之九十矣。

然人颇多笑而不之信。一八七九年十月十八日，《科学的美国人》记阿向公众陈明爱之所冀。于是发电机制造家及其他批评家咸起而假报纸质问非难。阿不得不一一开导之。益形忙碌。

尚有推转新机之法待决。向来发电机皆由皮带拖转。一八八〇年爱于门厂备试验样机十具为一组。各有八马力。由低速汽机及繁复杆轴引动之，虚耗太甚。爱生平最恶虚耗，即定计并十小机为一大机，改低速汽机为高速式，易杆轴间隔为直接联结法。次年年首，即告成。寻又稽得汽机速度太高，不经济，亦不安全。至大概方针，即须制大而能直接联合部分之办法，确已固定不移。无何即完全证实。

是时计算电能销费量之法，系借所谓爱氏电解计（Edison Electrolytic meter），亦几经试验始成。向来对于弧灯计算电费，只认作每灯每夜燃若干光时，共经若干夜，而定其值。遇未燃时间，照除，按月向用户征收，颇病粗疏。爱之新法，实简浅。用玻璃皿盛硫酸锌溶液，浸二锌片。自主电流上，分导出一确定部分，使经此电池，自阳极至阴极，池中随起电解作用。于一定时间内，自有一定量锌自一极移积他极上。称二极之重量，可测定所通过电流之强弱。颇精密。实用时，将电池移入电计室，而以另一电池补插电路中。前池之二片须洗净晒干，置化学秤上权之，以定取值多少，美国及国外多采用其法。惟硫酸锌溶液易凝固，须附一白炽灯及一恒有温器（Thermostat），遇气温降时，则插灯入电路；升时，则撤开。每当气温低至华氏四十度，或以下，办公室电话铃即常引出各种问句：如“电流计红热，有碍否？”“电流计内部失慎，余等沃水灌救，将损之否？”至于用户一方尤有烦言，则电流计纯归公司读出；用者无从稽核。故其后电解式废，而机械式代兴。此计系汤姆孙等所制，即今通行之瓩时计一流也。《四十年来爱迪生之服务》六八面，载一铜版图，示已废电流计之一式。

又装置问题亦须研究。门园初不过串灯于线，为昆湼立所笑。即爱宅亦仅由仰顶系二软导体下垂，外裹软带而已。及行销门地以外，多绕线于煤气灯台，而插电灯于台旁另系之横支上之窝内。每值雷雨，线与台间，火花突冒。及斯提灵格（Stieringer）创绝缘接缝，始分隔电流煤气二系。其后斯又用顶块（即仰顶灯台基）供新式电灯吊之接出。以前均通行煤气电流两用式。防电流忽断，得继燃煤气灯也。

全部电路所包之埋线地道，开关，熔金线（俗呼铅丝），接头总门匣，灯窝等等皆须一一从头设计制造。爱请专利时，谓此发光系为“自若干发电机导出电流，经由金属线电路，而按复式（即总平结法）分配于众用户”。虽署名于一八八〇年一月廿八日，而奉准乃迟在一八八七年八月卅日。其基本专利证列号为三六九二八〇。此七年余内，未尝正式放电流供用也。

一八八〇年岁首，门厂至少有一百热心勤业之人治事。较往年特忙碌。年中共请专利六十次，属于附属机件者五，发电机者六，白炽灯者卅二，分布电流法者七，此七法中即包括前举之一基本专利，及另一馈电总路法，专备防止远处电压低减之用者。因爱发见距电源最近之二灯或二群灯，所发光固合原定烛光。及愈远，而灯光愈弱。最末之二盏或二群，仅得最前之三分二。盖铜导线所为也。线长则抵抗大，故转一部分原电压成热。热在灯，诚有用；在线，则毫无。爱故不使总导体与电源相接，而另用馈电导体与电源相通，谓之“Feeders”。

此等导体更连至总导体之中点，则电压低减，仅限于馈电分导体，而不累及灯。众分导体安排适宜，使电流达总导体时，电压正与各灯之平均电压相应。其总导体内之极端电压降落亦小，而无足为害。

大市镇用此法可省铜线甚多。其总导体不必直趋至总厂，只须经过某一区而已。其馈电导体则比较小去不少。若用总导体，至少须大八倍，始可免电压降落。电灯欲与煤气灯竞争，必先解决省铜问题。或问英国著名物理学家克尔文（Kelvin）曰："馈电总路法本身原浅易，何迄无前人能见及？"克答曰："余以为前人非爱迪生耳。"故从他方观之，此法之发明，颇似爱之复制留声唱片。联邦法庭某法官至谓此法人人所共知共见，实不够新发明资格，亦不合享专利。

一八八〇年中，爱计画总厂分燃电灯制，渐成熟，开新纪元。爱之目的在求合乎商用，能满足实际上每日供求两方条件，即向此方努力工作。又常谓必就纽约先试行之。同年，果组成纽约爱迪生电光公司（Edison Electric Illuminating Company of Newyork），即承受原有爱迪生电灯包办公司，出一部分现款，及一部分股款。

其对于当地一切用爱法分布电流之公司，亦如是约定。而旧爱迪生电光公司则许新制公司专用新制于一定区域内。即偏僻单零之厂，亦包括其内。

纽约公司第一任总经理系格林（Norvin Green），格后就西方联合电报公司总经理职。纽约公司向本市请特许权，市参事委员初未轻允，特赴门察勘。门之复顺结式（众分顺结合成总平结）分布电流机关，供燃灯及生原动力用，为当时全球唯一设备。爱知将来借以推转电动机者，为用必广，特于此系内先插入电动机若干。[1]

爱所设电路共含四百廿五白炽灯。地下导线藏管内。管外涂土沥青，以绝缘，更护以木板。市参事会员往观时，爱预提高电压，使灯较往日更明。又亲向诸会员讲解一切。继于厂屋举行非正式宴会。宴罢，爱复演说。

---

[1] 爱尔斯（Iles）《火焰，电，与照像机》（*Flame, Electricity and the Camera*）一〇八面："今日商用电动机实不过逆行之发电机。此逆行之理，一八五〇年，雅科俾（Jacobi）已知之。或谓更先十二年棱兹（Lenz）已知之。惟迟至一八七三年，方施诸实用。是年，维也纳博览会拟陈格兰姆式发电机数具。有工人见一机旁有垂散电线二条，戏接至机上。初未注意线之他端乃系于一疾转之发电机上。而该机则由汽机推转。至是新系线之发电机竟取反向而亦转，盖成电动机矣。无意中发见发电机尚可变电能为机械能，遂开工业界中破天荒之一物两用新局面。"

盖生平异数也。

赴门参观者尚有其他闻人，如得隆上尉（Lieut. George W. Delong）。得方筹备“栈涅特”（“Jeannette”）舰探北极事。爱允为特造海上应用发电机，备燃一弧灯与数白炽灯。惟因该船无可供发电机用之汽机，爱特制成手摇小发电机（其后又为在中国某进口商造此项小发电机一具，因彼时中国人工廉于汽力也）。工厂职员各就发电子铁心各层间之绝缘纸上署名，留纪念。栈号驶入北冰洋失踪，而第一次携往极境之白炽灯机，全组遂亡。

名坤伶本哈忒（Sarah Bernhadt）亦莅临。由纽约电灯公司董事卡亭（Robert L. Cutting）引导。本极好问。窜跃于机间，欲穷其究竟。爱恐其衣裾挂机上，特命人将护其长裙。本以法语发问，卡为翻译，直参观一时半，始退。

据本自述，其赴门乃乘专车。一八八〇年十二月五日，上午二时，抵门，四时别归纽约。自车站至工厂间，路见线上悬灯，忽焉吐光，破冬夜之漆黑，不觉惊喜交集。及晤爱甚慕其坦白宜人与亲切多礼。并审其酷嗜莎士比亚作品。本之描写爱曰：“身中，头大，令人忆及拿破仑一世。斯二人体貌上，信有甚相似点。设验二人脑府必得证据。惟才质倾向不同，一属破坏，一属创造耳。”

一八八〇预备之年垂终，而改进多方，日新又新。厂员无不异常忙碌。独爱仍有闲情雅兴，谋其副业。试阅十二月份呈请专利款目下，竟发见“十二月十一。藏果法云云”。翌岁首设办公处于五马路一精美旧住宅中，门牌为六十五号。同侪习称“六十五号”。计设一单独发电机关室，爱氏与公司新总经理伊吞（Eaton）办公室，接待室，及楼上藏书室。是宅厅堂宏丽，最合装灯作宣传广告用，故特择定。

一时入室参观者，肩摩踵接，夜深十一二时始散。如是数月，始渐稀。然四五年内，仍多人迹。爱虽勉强居此度大部分光阴，心殊不愿。仍欲时留门厂静地。顾为推行新业起见，不得不身留闹市，向知识界中宣传。时爱略肥，服旧大礼服，而挽丝巾于颈，以代领。殊觉不伦。浓发悬额前，加以宽边软呢帽。年才三十四，惟因不效时尚，留髭而勤剃，故望之若未满也。

办公时间虽长，然亦有可乐。每当参观人散尽后，便有好友入藏书室纵谈。内中匈牙利提琴大家勒门益（Eduard Remenyi）且常奏曲。爱自记趣事一则："余尝患同侪窃余之雪茄烟。一日偶与一绅士言及。绅士举八马路某善制雪茄之友人为荐。并允代余定制假雪茄，实以人发及旧纸。由余潜置案下，戏弄窃者。余寻忘其事。越二三月，绅士来问计售未。余一时无以应。及详检屉内，始悟余误认为真烟，早已尽吸之矣！"

纽约爱迪生电光公司资本定为一百万元。由近年眼光观此，诚嫌其小。然此本无可移作制造用者。其爱迪生电灯公司不愿营制造业，于是爱准备自行征集，自行建厂。除多方筹得资本外，及厂成，待开工，需经常费时，则售脱本人所有之爱迪生电灯公司股份以补助之。由是竭力经营，竟能正式制销获利。至是，资本家向趑趄不前者，今见利所在，又谋与爱合办。爱迪生通用电器公司（Edison General Electric Company），扩本至一千二百万元，官利八厘。爱以需款紧急，遂于一八八九年盘出，备再扩充。一八八一年，三月二日，爱自老造船家洛赤（John Roach）手购得纽城东头，颓垣败舍区中，革耳克（Goerck）街上之厄特那（Aetna）废铁厂一座，即改为爱迪生作厂，始制发电机。历数年，不敷用。移至斯垦涅塔狄。至电流计，电灯台，电灯窝，开关等件，则向由柏格曼担任。其厂初设武斯忒（Wooster）街。后迁东十七号街，规模大进。柏初在纽亚克为爱充小工。及至武街，进而制留声机。及爱制售电灯用具时，更出资加入。后卒于柏林自营电器工厂。爱迪生电光公司请得特许权后，掘街埋导线管，及衔接匣。此等器归华盛顿街六十五号克鲁极督造。时门园实验室已停办矣。

制灯厂则自门迁至纽亚克附近哈立孙（Harrison）旧油布厂大厦。其股份每股一百元，共一百股。内有若干在爱之数助手手中。一助手曾患贫，变卖二股于卡亭。时爱之灯厂尚无利可分。其后营业大佳，董事议决每星期六晚分利一次。卡连取三星期，大喜欲狂。由电话中询问所营究属何业，乃能按星期付利！

当中央总厂之议未得资本家赞助时，爱暂设一爱迪生建设部（Edison Construction Department），专事提高中央总厂办法之信用，使易于成立。此部未几即停，故同侪戏呼为“破坏部”（“Destruction Department”）。又于远离总厂处，分设独立发电机件，供当地取用。而归爱迪生隔离电光公司（Edison Isolated Lighting Company）经管。“六十五号”内更设夜校，专授工人以白炽灯上电学机械两方学术。一八八一年，爱方竭力推行新取明法。同时柏那比（Burnaby）驾气球飞越英国海峡，震动世界。一如一九二四年，“空中麦哲伦”首驾飞机于一百七十五日内环绕地球一周者。是年诚多事之秋。计葛拉德斯吞（Gladstone）施行爱尔兰新土地法，美国上院议员普拉特（Platt）与空克令（Conkling）突然忿怒辞职，栈湼特舰没于北冰洋，埃及奴隶被释，美国“大东”（“Great Eastern”）以十五万元售出，美总统加飞尔德（Garfield）因伤缠绵床第凡一全夏，卒不起，科第（Cody）之《西荒志奇》（*Wild West*）尚未出演，纽约布鲁克林（Brooklyn）长桥亦未造成。巴黎曾开第一次国际电业展览会。爱送其电灯新机与会。得奖状，并被推为荣誉团（Legion of Honor）长官之一。

会场中心陈列一直接联络发电机，为爱氏及其他电学家所造之最大者。当时目为唯一巨擘。计重二十七吨（连发动机关及一六吨发电子）。足燃灯一千至一千二百。六月二十五日，先于革耳克街工厂试演。至次日晨五时，汽机曲臂轴忽折。易轴续试，始如意。时距法国轮船启碇，仅余四时。急召工人六十名，分卸各件，载入货车，策马疾驰而去。沿途大鸣警铃，复由巡警预为清道照料，抵船埠，尚余一时而已。及陈于会场中，公开表演，大受外国电学家赞美，争相研究其构造。爱氏新法得行于欧洲大陆，此其嚆矢。是类巨大发电机即后俗称“大象”（“Jumbo”）式者也。

除门园固有小试验厂外，世界初行白炽灯中央总厂制，乃在伦敦。由英国爱迪生电灯公司所设置。是公司总经理即约翰孙，而总工程师则哈麦耳也。一八八二年一月十二日，哈扳下开关，正式供给电流。厂在和本（Holborn）高架水渠。备有三十吨大象式发电机三座。燃灯三千。内有四百在总邮政局电报房内（英国电报事业自一八七〇年收归官办，即隶邮政下。其主张设置此多数电灯者，即前此斥爱为妄诞之普里斯，盖已态度一变矣）。哈云约除对英国电灯厂鼻祖负责尽心外，更须讨论磋商公司组织法，及向英国国会委员前陈述，此外复常接受英国第一流科学家及著名贵族等之参观与询问。

马丁引约原记曰：“时伦敦风行高杆，顶载若干强光弧灯。余欲于和本高架水渠全带每一煤气灯架上，设一卅二烛光电灯，以代煤气灯，而与弧灯竞争。俟得市当局批准，即进行。果大博舆论赞许。自此弧灯团渐失时。及今，则单独弧灯亦衰减矣。”

英国法定，只许电灯厂营业二十年。其后即由政府收回。故和厂虽开办，未能引起伦敦全市作大规模之扩充，亦未能引起他城仿行。此法令虽卒取消，然正当新事业发端时受此限制，遂从头予以阻力。亦犹蒸汽车辆初发达时，不准自由通行大路之苦也。电灯厂竟不得不停办，机件皆卸除。然即此短期中，哈约二人已有相当成就，且获不少经验，足为日后之助。

此后续办之中央总厂，即在纽约珍珠街（Pearl Street），为美国创见。规画设置，爱悉躬亲。占地五十呎乘一百呎。系二屋合并。各广二十五呎。一深一百呎，一深八十五呎。高四层。第二五七号作发电厂用。二五五号则储存各原料零件，又备修理机件及制造地下分布管。就爱所择定之区而计，须此项导管十五哩强，其地北至斯普鲁斯街（Spruce Street），及渡头街（Ferry Street），东濒东江，南界窝尔街，西接拿骚街（Nassau

Street）。面积约一方哩。

爱原拟包罗运河街至窝尔街，及东江至百老汇路间。面积远过上开。既而嫌其过大。当其时，已预查全区内，每屋宇之煤气灯数，及每户每日平均用煤气量，全区每日平均用量等，所需电能多少，谁为需要之户，以及何处原有升降机井，可利用电流等问题。及发明馈线总线制后，更绘就大尺寸详图，注明有关系各项，备兴工装置。

或谓珍珠街乃白人首登满哈坦（Manhattan）岛时所卜居处。无论言之虚实，惟新阿姆斯特丹（New Amsterdam）之市政厅，及布拉德佛德（William Bradford）为殖民地所办第一家印刷店，则确在是街。十九世纪之初，又为富豪时髦之辈所寓然。一八八一年，局势大变。爱之择定此街时，已颓圮不堪。盖取其僻陋，可以贱价购得也。据爱计算，二万元足致该两屋。及实行问价，大吃一惊。盖一须七万五千元，一须八万元。于是二百呎见方之原计画不得不抛弃。姑就二五七号，除去旧隔层，沿墙紧筑坚铁柱，约建全屋四分之三深度。柱上架强固横梁。二楼上安设大象式发电机六座，连坡尔忒（Porter）式直接联结汽机。

一八八一年深秋，安设总线。中阻于祁寒。次春续设。日夕工作，爱几无时不亲督。当日哈拍周报曾刊一图，即示爱验地下管之绝缘已否妥善。爱自谓每设一衔接匣，每装一联络具，必目击其完成。三层楼原备卧室。惟爱图便利，乃另宿珍珠街屋下。窖藏导线管甚多。爱因监工忙碌，即就管上昼寝。不拘何时，总以一时左右为度。有二工人专伏窖中验管，竟为阴潜所中，患白喉而亡。爱抵抗力特强，又不一气久伏其内，得无恙。爱之助手忙碌至鲜暇剃须易内服。而爱同甘共苦之余，并不积劳成疾。则同人所莫及。地下导线管之制，此非首创。一八三九年，英国大西铁路伦敦帕丁吞（Paddington）站至西德累吞（West Drayton）间，设十三哩电线。时库克与惠斯登（Wheatstone）已用锻铁管藏铜线六条，埋铁路旁地下六吋许。一八四三年至一八四四年，模斯又于华盛顿巴尔的摩尔间，埋铅管约十哩，试安放电线。库与惠以大麻缠线，模则用棉与虫胶。一八四二年，库始植杆，安置绝缘支柱，以载线，大著成效。模之地下管既失败，忧惧交集，不得不取法于库，以图商战胜利。

嗣后地下导线法不为人挂齿者有年。为公用公司设想，欲求易于开办，诚不得不采空线制，以省费也。若辈且笑地下管为愚人之计。实验家亦几弃绝不理。试阅一八七五年以后，一八八五年以前，美国城市照像，可见电杆多至林立，电线纵横，闹市中几掩蔽路旁天日。镇集亦仅差少。甚至野外亦不免被侵。杆上横臂未钉固者，其线下弯，或外被腐烂而悬宕。至弧灯线之未妥为绝缘者，更危险。因其电流之电压过高，偶与附近金属物，或交叉而过之低压线相接触，辄肇祸端。死人日多。舆论渐暴其非，卒要求改善多处，代以暗线。

然爱固自始赞成暗线者，辄转诘难者曰：自来水，煤气等管，何尝高架空中哉？爱早知其所用导体太重，自应埋地下方合城市公便。且预期将来各大城必采此唯一之法也。马丁记纽约省政府规定满哈坦岛地下线办法后，即由爱之同伙惠勒（S. S. Wheeler）充任工程师。此人曾于珍珠街供电日，在第一销费区，与爱并肩工作于总线管旁，故谙其事。然人类成见太重，虽早见爱之地下管成效昭著，仍多固持明线。国民电光联合会至为此争执而几分裂。爱既识纽约地价之荒诞，更窥破当日市政府之行政腐败，据带马二氏记录一卷三九三面："工务局命爱某时赴局，爱偕友同往。局长汤普孙（H.O. Thompson）曰：'汝正在安设暗管，本局奉部令命汝雇稽查员五人，专料此事。日受薪五元，按周支付云。晨安！' 余等守候所谓稽查员者，迄无其人。惟周底来支干俸，始一现耳。"

及埋管告竣，定用之户待试新光。各处电流计亦在赶装。总厂中则大试机件，严厉风行。果发见两大象式发电机极难控制。爱述曰："馈电管全埋毕，即试联一发电机于汽机上，观其功效。已而再开一机，使成平结。孰意一机忽停，他机竟疾转至每分近千周。无何亦停。而前机代之疾转，互相更迭。"[1]

"当时归罪于二机之坡忒式调速器。惟机初失常时，旁立诸人仓皇逃出，有奔过一二横街者。余急握一汽机之节汽瓣。余以外，仅余约翰孙未失措。即执他汽机之节汽瓣。二人合力关断汽门。余察得：一组乃推转他组，视为电动机。遂以一长轴遍联诸调速器。欲已其病，殊

[1] 此项平结之病，俗称"变调"（"Hunting"）。爱氏公司总工程师克拉克以为当因机之底板不在坚固基础，而在前述横铁梁上，故得沿铅直向而震动。

未能。盖杆之扭力过大，使一调速器仍疾过其他。余特走革耳克街机坊，觅一轴一套管。将二者分向两相反方向，而拘之。然后插闩，固定二者于一。如是强此整组，分向两相反方向，而各达弹性限制。卒减少扭力，而使调速器皆齐一转动。”

然爱不信任此权宜办法。另托息姆斯（Gardiner C. Sims）特造一汽机须每分转三百五十次，生一百七十五马力。息返普洛维登斯（Providence）如约造成，运交爱试用之。不数分，突爆裂。息大惭恚。发奋改作，寝馈机畔，凡三周，卒告厥成，爱知其有成，嘱该厂昼夜加工，供给所须全数汽机。[1]

一八八二年，九月四日，下午三时正式放电。其后四十年，纽约《世界日报》（*The World*）追评曰：“当年尚无摩天高厦以遮蔽日光，则下午三时放光何益？殊不可解。”是日与爱氏事业有关者，咸参与盛典。翌晨《世界日报》曰：“昨晚福尔敦（Fulton）街上，自拿骚街口

[1] 带马二氏记录一卷四二二面：“息自言得爱之深切关怀与物力精神双方资助。又承指示做法，始底于成。因称爱为远出时流以上之领袖云。”其后凡装设爱式发电机者，必连阿息（Arm ington-Sims）两氏式汽机为一体。如是历时甚久。

以迄东江，各大商号皆初燃电灯云。”据谓爱特盛装礼服，以志庆祝。惟《太阳报》（*Sun's*）则谓见爱乃冠高顶常礼帽，服无领衬衫。殆已解除初服一部分矣。

九月五日《纽约时报》曰：“直至七时，电灯始正式入用。一时皆服其光明与稳定。编辑室内廿七盏，会记室内二十五盏，既大放光，照耀如昼。然曾无眩目之弊。虽就其下缮文数时之久，亦不觉丝毫不自然。生热亦微，远胜煤气灯之炙人。据发明者谓，仅得煤气灯热十五分之一。光色尤和柔融洽。不闪，不跃，不刺目，不伤脑。虽仅历初夜，已由久经夜工之报界人员尽量考验，较其短长，结果一致推崇，谓在煤气灯上。”

该厂供四百盏用。虽已实验成功，惟最初三月，不收电费。德勒克塞尔（Drexel）大屋独具一百零六盏，为尤大成绩。十二月三日，《太阳报》登爱氏公司总经理伊吞投函云：“敝公司现供一百九十三所房屋之用，总灯数四千四百盏，常燃者三分之二云。”一八八四年春，盏数更增至一万一千，大象式发电机亦自六座增至十一。昔之倔强不服而妄议者，至是始息。此厂继续开至一八九五年，中间曾未辍业。惟一八九〇年一月，某馈电管内抵抗分路电流忽加强。走火，延烧众机。仅余一座无恙，不得不停电数月。幸汽锅四座未毁。后移入五十三号街电厂，用至一九〇二年。

相传一八八二年，八月十五日，爱于威斯康辛（Wisconsin）省阿柏尔吞（Appleton）初设电厂营业，为爱在美国所办电厂正式供电之第一声。但醉心珍珠街之流，则谓阿厂仅备水力发电机一座，不足数。迨一九二二年，筹开四十年纪念会前，遍查旧报，始知阿厂乃于九月卅日开幕。特就水力发电而言，则阿实爱所办第一声耳。

一九一七年，十月十八日，纽约中央大厦（Grand Central Palace）电业展览会场中，举行仪式，预备勒铭纪念爱功。后即安置于珍珠街二五七号，由美国风景古迹保存会及纽约爱迪生公司联名题赠。牌之上段三分一系浮雕，示厂中发电机室景。下即铭文如次：

一八八二年至一九一七年

托马斯·阿尔发·爱迪生秉其思力，筹设

美国第一暗管供电中央总厂。于一八八二年，

> 九月四日，正式开幕，实启今日纽约电流制之先河。兹为纪念此新纪元，特于其发电机关原址，建碑勒铭以垂久远。美国风景古迹保存会，纽约爱迪生公司同题赠

其他开办较早之电厂，有宾夕法尼亚省孙柏雷（Sunbury）；一八八三年，七月四日。马萨诸塞省布洛克吞（Brockton）；一八八三年，十月一日。及马省罗棱士（Lawrence）瀑布河两城；一八八三年，十一月与十二月。布城通衢原多美荫，惧为空中电线伤毁，故初办即埋暗线。他城若肯取法，则必大有可观。布厂初兴，人咸目为爱氏宣传机关。城中消防处及戏院皆用其电燃白炽灯。实全国该二业最先采用爱法者也。孙城植杆张线，惟实首先采用三线制之处。此制系爱与英国霍布金孙博士（Dr. John Hopkinson）分头发明，不谋而合，且几同时（见佛来铭《五十年之电学》二二六面）。今日凡大规模直流电，无不采用之。[1]

---

[1] 论者每误认孙厂为世界第一电灯发电机关，实非也〔见一九二四年八月二十二日《新闻民报》（*Herald Tribune*）〕。

三线制大要如次：用一百十瓦发电机二座，顺结之，得二百二十瓦总电流。可于每一单独灯路上，燃标准一百十瓦灯二盏。是二灯所须电流并不多于原用复顺结制之一灯所耗。惟因开一灯或关一灯时，不欲连累他灯（二线制顺结即如此），特增一抵偿导线，谓之中性或中立线，使阴阳两方，即用总电流，合并为一。此线既供一电流作出路，同时又供他电流作归路。当一切电路内之灯悉数放光时，阴阳两方及第三方维持绝对平衡。而第三（或中央）导线确居中立。惟若一方有一灯熄去，便失平衡。因虽无他灯受影响，但电流已有过剩，即循中立线返至发源处。若阳方熄一灯，则中立线变该方之阴导体；若阴方熄一灯，则中立线变该方之阳导体。此法分送电流，较一切旧法为经济，省铜固多。盖用三线，而倍加电压时，两外线之断面，只须普通二线制之四分一足矣。

爱氏白炽灯于各界所吸得第一用户有如下列：

教堂中推伦敦市院。由和本高水渠电厂给电（一八八二年）。帕克耳（Parker）牧师等深悦其无煤气灯之热。

商店推纽约亥因德滋与克特察谟（Hinds and

Ketchum）石印局。一八八一年，自设分机，遂能开夜工，作五彩石印。

电灯招牌推伦敦水晶宫电业展览会（一八八二年）场中，哈麦耳为音乐厅钢琴上所拼成 EDISON 一字。一八八三年，柏林卫生展览会爱迪生纪念亭上，亦由哈装成该字灯标，用电动机使自明灭，能逐字母放光，自一而六。

电灯吊，或电烛台，推一八八〇年门园阿普吞宅内所装。

旅馆自备机关者，推阿的伦达克（Adirondacks）山蓝山湖上蓝山旅馆（一八八一年）。时距铁路尚四十哩。又升降机内电灯亦推该馆（一八八二年，七月十二日）。

报馆推纽约《新闻报》（*Herald*）。该报曾刊福克斯稿，记爱之白炽灯。戏院首弃煤气灯者为波士顿掌珍剧院（The Bijou）。一八八二年，十二月十二日开幕，即用私发电机。

蒸汽艇推本涅特之"那摩那号"（"Namouna"），一八八二年首。

美国国有轮船推渔业委员会之"信天翁号"

（“Albatross”），亦自载发电机（一八八三年）。

欧洲大陆之永久电厂，推意大利米兰（一八八三年，三月三日）。

南美洲电厂，推智利圣地亚哥（Santiago），一八八三年夏。

纽约爱迪生电光公司所收第一号电费帐，系向克力夫街（Cliff Street）十七，十九号，安索尼亚黄铜紫铜公司户，收五十元四角。其后习惯，对于电费随用随索，特别紧急。一九二四年，二月二日，《纽约民报》记爱之诞生故里，甫于一月三十一日用电灯，而二月一日，便见帐单寄到。

公司发付第一季盈利，系在一八八五年，八月一日。计一厘。

白炽灯之流行，绝非不胫而走，如常人每易妄测者。盖民众怀疑，亦犹初闻留声机也。惟其应合室内之需，确胜煤气灯与弧灯，则亦无可或讳。是以终能渐得信仰。方其初行，阻力良多。尤以人民狃于旧习为最甚。一九二三年，十月十八日，《世界报》载有访爱记曰：“爱言及就矿燃煤，而不重迁之法时，莞尔曰：‘君知民之弃旧从新，须费七年至四十年之力乎？即至显明之建议，亦非十年不行。'" 外此则煤气灯与弧灯两劲敌。一九二二年，马丁《爱迪生服务四十年记》第七面曰："四十年前所谓电流发光制，风起云涌，备极纷繁。顾究其实，不过稍就灯或发电机方面，改头换面而已。新开弧灯公司，竞以证券塞满各交易所内。而时时嘱小机厂为制造或修理机件。盖突然行时中，此际得安然无事也。极盛时，《电业世界》杂志至登弧灯制广告五十种之多云。"当地又纷组此业公司。其中自私自利之商人，与贪婪政客，勾结以鱼肉民众者，实繁有徒。惟美国多数人民向不以为怪，致令美国市自治，腾笑于列邦之口。

至白炽灯制，专从繁庶都邑入手。设中央总厂，以分送电流；当然合理。其手续所经，则须先通过规章，求合当地法令。再请得特许权。更举将来希望以吸引投资。此中自易启人仇视。据带马二氏记录，一卷三五一面云："一八八五年，全国电灯联合会成立时，发起人悉系弧灯健将。爱式公司或其特许人，竟不获加入。甚至不敢为该会征求会员。"

煤气业资本远过弧灯业。一八七九年，世界总投资盖达十五万万元。其衔恨白炽灯业，自更深。先有弧灯夺其室外之用，既而更进占其室内大面积之营业。惟仍留普通居室之需，未予尽夺。及白炽灯兴，不眩，不闪，不跃，不须火柴。其为劲敌，尚待言哉？幸煤气业人若未尝有收取白炽事业而制之之念与企图。否则此辈果拥有白炽灯业，其必尽力排诸正务之外，甚或致其夭折无疑。而白炽灯之奏效与生利，将更迟迟矣。

日积月诸，而爱氏所记预言一则果应。即有煤气厂处，煤气用途皆大增。其为用，除取明外（此项随即废止，不复添装），尚供取暖及烹饪。而应用器具亦有新制。故总销费量，非惟不减，而且有加。纽约煤气公司与电流公司合并。他城步武后尘。皆举两者之用途供诸众目前。而煤气灯经维也纳卫尔斯巴赫博士（Dr. Auer von Welsbach）改良后，反以光明稳定，远胜于昔，而得延其部分生命。此灯加用钍，铈等稀有土类制之罩，耗气遂较省。

至于弧灯，不得不卷藏。即室外亦无立足地。仅穷僻之隅，偶尔一见，已不成正式实业，盖其正用限于幻灯，电影，探海灯等而已。全国电光联合会之禁令，取消至今有年，不复为人记忆。昔之各式自称弧灯制设备，几近五十家，竟无一存。改由白炽灯公司供给电流矣。

一八九二年，六月三十日，纽约爱迪生公司电路上尚有弧灯一万二千八百八十二。煤气灯既全失败，弧灯即无所谓竞争。况弧灯本身近亦改良多多。

一八八二年，九月四日，纽约爱迪生电光公司仅能燃四百盏灯，供数户所用而已。一八九二年，六月三十日，竟燃 9，337，114 盏，供 313，521 户用（公司已经承继）。此外尚须供给弧灯，电动机，电炉，及蓄电池充电等需（据《四十年之爱迪生服务》一七五面）。是年全美得中央总厂一万四千所，用户一千一百五十万。每户平均燃三十二盏零百分之六．一五，共燃三万七千五百四十七万五千盏。是等机厂更供电动能二千三百万马力之多（据电业推进会报告）。惟供给此项燃灯电能所需之煤，仅居全国岁产额千分之三而已。又全业投资与生财，总值五十一万万元。

珍珠街之大象式发电机由高速汽机推转。各能司一千二百盏爱式标准十六支烛光灯。遇急须时，可增至一千七百五十盏。则六机总力，充其量足应付十六万八千烛光。一九二四年，五月十二日，布鲁克林之爱迪生公司首用五万瓩（瓩为瓦之千倍，五万瓩等于六万七千马力）卧轮发电机。先试四座中之一，预备装设哈德孙路电厂内。据估计，此一机充量可燃二百万盏二十五瓦灯，即五十万盏百瓦灯。共得五千万瓦。钨丝灯发光率，约每瓦十分之八至一烛光，故可生四千万至五千万烛光（见一九二三年布厂报告，一九二四年，五月十三日，《纽约时报》及同日《世界报》。此等大发电机皆由低速蒸汽涡轮推转。凡近水处设厂皆从此法）。全计画中包括此项巨机八座。

美国人好大成性。闻此巨数，必易受感触。惟普通美人应重视此等巨数所由产出之基。伊吞曾追述爱氏惨淡经营之始曰："试观往日以迄今兹，察其与年俱进，余不得不深佩爱君之伟大，爱君之独一伟大，当日我侪各自重视，以为所费心力，皆属至要。惟居今视之，我侪中最能者，不过轮上蝇耳。"（带马二氏记录，二卷，七一九面。）盖自经爱发表中央供电原则后，全盘方有着落。爱屡屡发明新电具，使此方技术足为意中实业张本，而后乃得奠其新大事业于磐石之上。至技术方面，频频变迁，而电灯实施事业，亦时多革新。此则电学猛进，与集思广益，力求上达所致，为自然之理。但原理始终未移。灯身与分送电流，仍本爱之定则。即初用发电机虽已成博物院中往迹，顾传下基本定理，徒见后来从而益事光大耳。

一九一五年，五月六日，纽约市民集会（Civic Forum）特赠爱奖章以志酬谢。马省理工大学马克罗灵（Richard C. Maclaurin）当场致词曰："诸君皆承认爱君为中央电厂制建立基础。今观珍珠街电厂，俨然科学史上一纪程碑，他如三线分布法，馈电分管法，地下导线法，开关板导电法，以及开关熔金线，电流计等，无数零件，皆爱君心血结晶。有人能发明其一，已足享大名者也。"[1]

爱之发明生涯，在一七九八年至一八八三年间，大盛。而一八八二年为登峰造极。据带马二氏记录，一卷，一四〇面，该年内计请专利一百四十一次。而九五二面

[1] 见一九一五年，六月四日，《科学》报"爱迪生君为科学之服务"。开关板导电法，俗名"车条"（"Buc bars"），系自发电机导电流至开关板之特别设备。

起，则列载其奉令施行之一百〇七种。另有数种为商品秘诀，不请专利。是五年间，对白炽灯，对分布控制，及测量电流法，盖费尽心力。爱复于同期内草创电力引重之法，施诸实验（本书中另详）。又发明磁力筛矿苗法（后详）。卒为工程界大放异彩。此数年中，实验工作大忙。时时须立决制造手续上诸困难，又陆续推行新制，以致不暇顾及保护本人专利。及须图保障时，则又不免涉讼经时。

大概言之，一八八五年至一九〇一年间，爱迪生专利品之主人，即爱迪生电光公司，因各方侵占其白炽灯及附属物之利益，而涉讼者，二百余起。共费二百余万元。爱自云："余为灯苦战十四年。及得直后，仅余三年专利可享矣。今则早成人人之产业矣。"白炽灯专利证书，系一八八〇年一月二十七日所发给。惟直逾十二年零八月余，至一八九二年十月四日，方有美国巡回控诉院，为美国电光公司被控事，发一判决书，声明原请专利人胜诉。其后虽屡经禁令，迄未能杜绝剽掠。不法之辈伪举纽约钟表师革柏尔（Henry Goebel）之命，谓于一八五四年以前，早创制实用白炽灯。〔宾省哈立斯堡（Harrisburg）相近厄柏力（Eberly）工厂有德洛宝（Daniel Drawbaugh）者，亦自称发明电话独早，皆同一谬绝。〕纽约某联邦司法官承认爱之专利有效。谓革所争执者，不问有无其事，既久不继续试验，便当作弃置论。惟圣路易城某法官独不护爱。伊吞后谈此事，诿诸法官未见革党之宣誓者耳。总之，爱自云从未果享应享之白炽灯专利，诚慨乎言之也。

一八八九年，爱与同伙售出白炽灯制造方面种种设备生财与爱迪生通用电器公司。该公司系包办性质。由维拉德（Henry Villard）为首。至是而爱之白炽灯工作可谓告一段落。维著记事录（一九〇四年，波士顿出版，二册，）第八章，述爱迪生通用电业公司之组成如下。

"自电灯甫诞生，维即深加注意。当爱迪生电光公司获白炽灯专利权而成立后，维即为股东之一，亦曾充董事。对此新事业，信仰极深。其入股时，实只付三成。及股价飞涨至四十倍于票面，而犹不肯脱售。在柏林日，结识西门子哈尔斯克（Siemens and Halske）大商行行长，著名电学发明家西门子（Werner Siemens），及柏林通用电业公司经理人员等。该公司已操全德牛耳。未返美前，维力劝若辈与美国现存诸电业公司合作，而加入彼方商场。维后筹妥办法，预备合并一切爱迪生电光及制造公司，重组机关，增添新本，专从大规模制造电具。果于一八八九年四月，成立爱迪生通用电业公司。资本达一千二百万元。而维及德国诸户执其大半。维即任总经理。至一八九二年夏，公司又与布拉士（Brush）及汤姆孙，休斯吞（Thomson-Houston）二家合并。维不赞成，因辞职。”

一八八四年，爱前妻殁。一八八六年，续娶沙托夸（Chautan qua）湖自修学派发起人之一密勒（Lewis Miller）之女密那密勒（Mina Miller）为妻。次年离门至新泽稷省西奥伦治（West Orange）建一模范实验室，渐为爱氏其他制造事业之集中点。就卢厄林（Llewellyn）住宅区，购入三层房屋一所。

一九二四年春，著者访门园，则见附近田中野老耕作。车站旁设有釉瓦厂。而林肯国道则交通频数。爱氏旧日所见屋宇，亦有一二孑遗。昔之砖建机厂，仅存西墙一部，已不见窗牖。地上陷有锈铁货车轮，愈沉愈下。浅丛中，犹藏土堤。则爱所设电车路线也。余则尽遭回禄，使人不复追忆当年盛况矣。

一九二五年，五月十六日，爱迪生先驱会及爱迪生电光公司联合会合赠纪念碑，树于门园。邀新泽稷省省长息尔格（George S. Silger）及普麟斯吞大学校长喜本博士（Dr. Iohn G. Hiben）致词。碑向林肯国道，近爱故居。系美国花冈石为基，嵌以青铜。由爱夫人揭幕。碑上并附凸雕爱像。其铭曰：

> 一八七六年至一八八二年，托马斯·阿尔发·爱迪生于此，初为世界人类谋一大幸福，即照耀人类进步之途程，指示人类工作之门径。手创若干新工业，使后世没齿不忘。其忝列爱迪生先驱会诸同人，尤深景仰。爰勒此碑，借表真忱。　一九二五年，五月十六日，立于新泽稷省门罗园。

第十二章　活动电影照像器　磁力筛矿法

爱初购地产于西奥伦治时，彼中尚多原野草地。爱虽仅四十，而熟友之以“老人”相呼者已十年余。休伦实验室才有化学药品二百瓶，悉标明“有毒”。及门园日，设备已足应所需。今则更进一步，广揽参考图书，遍藏试验原料，为世界谋新异彩。垂成日，致书德勒克塞尔摩根（Drexel-Morgan）公司之怀特（I. Hood Wright）曰：“余欲就俄河流域，大兴实业。今特嚆矢。将来逐步发展也。”

自易新环境后，即重理留声机故业。一八九〇年以前，为蜡筒式之进展期。初备无纹光面筒出售。其后若干年，爱之工作最引人注意者，似即在于斯。盖其努力之勤，不减研究电灯日也。

一八八七年，爱迁西奥伦治之年，初蓄意为目谋幸福，亦犹耳之得享留声机者。一八八九年夏，果如愿以偿。一八九一年，八月二十四日，呈请专利。惟一八九七年，八月三十一日，始经核准。（后一九〇二年，九月三十日，及一九〇四年，一月十二日，补发证书两次。）爱自题其器，名曰"活动画机"（Kinet-ograph），或照活像机（Kinetographic camera）。

活动画之原理，在视觉持久性。盖光线达网膜后，所生视觉，并不随光线俱灭。光先灭，而其像犹存片时。此片时并非短至不可量者。常人见天空闪电，陨星尾光，及暗室舞火柴所呈线状光条，皆此现象。特未之思耳。又有俗人视作玩具之各式惊盘，更属显例。惊盘至少可分三类，曰双画惊盘（Thaumatrope），曰多画惊盘（Phenakistoscope），曰筒状惊盘（Zoetrope）。但俗多混称。第一类系比国物理学家普拉托（J. A. F. Plateau）所创。置二异物之图，或同物异部之图，于圆盘周之二相对点上。借发条等之力，使盘转。则见二像混叠，若同时可睹二物之图者。第二类有二盘共轴，内盘较小。其内面分绘人物继续动作之各态，安排于等距离间。外盘较大，沿周分划狭隙，其数与内图等。执至反光镜前，而疾转两盘，可见每图映出一像，瞬息即过。众像衔接，有如连续动作。第三类系圆筒式。约高七吋，径八至十吋。内面近底处，分绘人物继续动作之状。环成一匝，亦如第二类。沿筒较高处，亦开若干狭隙。疾转其筒，亦可见诸图衔接而过。由诸视觉印象融成一片，恍如真动作。此类俗常呼为“生命轮”（“Wheel of life”），此等固玩具无疑，亦犹风筝陀螺等。惟均能启人思路，在善于用心者穷究之，便大可发明。惊盘之图过粗陋，且窥视之法大误。然由爱观之，前途可能至多。因从而深究之。

爱自谓曾获益于二实验家。斯二人盖排万难而建立有价值之科学基础者也。一为法国马里（E. J. Marey）创制活动照像机（Photochronograph）。凭其所得诸图以分析研究奔跑，游泳，步行各步骤。遂察出猫跃至地时，究以何足为先等，皆于科学大有裨益。后刊行一部分成绩为英文本，曰《动作》（*Movement*），隶国际科学丛书。一为迈布立基（Eadweard Muybridge），在美国首先利用高速照像，以研究动物之动态。初与加省斯丹福德（Leland Stanford）争论马疾驰时之步法。斯谓中有一刹那间，四蹄腾空。迈不信，与博胜负。退而悟得实验妙法。于驰道旁排列若干照像线，各缚线于快门机关。而张线横过道上，使马驰去，冲断各线，得一一照其像。后更广用是法，照取犬奔，鸟飞，运动员运动等之各阶段状态（见爱尔斯《火焰，电，与照像器》三一二面）。据云：感光最短者，仅五千分一秒。迈自阴片制出阳画，载于圆筒上，仿佛筒状惊盘。置幻灯箱内，而疾转之，射出之像，亦类真作动状，谓之“活动映画机”（“Zoogyroscope”）。

马迈二氏皆用真动作照像代旧惊盘线条画。惟因运转干片之故，未能多照。其所映出，仍只周而复始之简单短动作。且人物永占图心，虽呈继续运动之各级状态，曾不前进，但见背景退缩而已。犹戏场中卷动布景，以衬托台上马队进行状。假使二人取他物以代干片者，其成绩殆能远胜。即能运用高速，连照许多像也。但高速照像器及假象牙软片俱制成后，仍赖爱氏首先取作记录运动之需。事实俱在，无可讳也。夫观念非新，材料又非创制，而一经爱氏采取而合并之，便焕然产生新成绩，极切实用。此诚其天才卓越处也。

马已明要旨：仅用一机，一镜头，从一单独观察点，照取各像。惜所用感光面仍保干片式。无论其各片如何易于感光，其换片续照等手续，终不能便捷。而每秒所得感光次数终大受限制。他人试增多镜头者，实更自寻困难。此在今日固易明。特一八八九年间，尚鲜能窥破。

爱守一镜头陈法，而使感光面自行移动以就之。初试作圆筒，使断续转动。每停一次，即感光一次，照得阴画一幅。复缩至极小，连卷于圆筒外，成斜螺旋纹条。持扩大镜以检视之。每秒已能照四十八像。惜片上所涂乳剂太粗。阴片缩小后，便失明晰。爱遇此数阻，寻弃圆筒，而别图。一八八九年，伊斯特曼（Eastman）公司初售透明假象牙软片。爱遂思取卷片试之。但软片之制并非始自伊。一八五四年，英国已许“卷轴感光纸”专利。特未获适宜原料以代纸，故未大行。据一九二三年，波士顿出版大卫斯（W.S. Davis）《实用业余照像术》曰：“自兽胶乳剂涂干片成功后，即有取涂薄纸上，作感光软片者。同时美国制造干片鼻祖卡耳巴特（John Carbutt）亦发明假象牙切片式软片，以代干片。一八八五年，伊斯特曼公司制成纸带卷轴，可容一百次感光。”

爱既得透明假象牙软片，兼具坚韧轻巧及卷舒自如之长，取以照像，可达高速，像迹又至明晰。其阴像较前此显微镜下式为大。然须制特别机械，以拖曳软片带，使正过照像器之透镜焦面，而疾速照成一一阴画。俾转得阳画后，再依原速映出，可显连续动态。今日通行之露天装片式轻便软片照像器，系美国实验家谷德文（Hannibal Goodwin）牧师新发明。每照成一像后，须徐徐卷过一段软片，方可备照次幅。此间手法，颇须谨慎。从此可悟欲使软片速移之困难。

爱用长卷软片，自上展伸而下，由若干滚子夹持。及过透镜焦面后，重自行绕起，片之两沿，连凿准确小孔。先摇动主轴，使催动一扣链齿，而挂入片孔，拨片使前进。片之进行乃间歇式。每一停顿，同时主轴上齿轮所连之旋转快门，即被推动，而以一孔对片前，容先射入。已而片仍进行，而快门则自闭。如是更迭，至无穷。所得诸像，皆静止照像，皆从一观察点所得，皆同大小，且以有规则之时隙相隔。惟片穷，须续而已。一秒计可照取二十至四十次。

实验室中实验员狄克孙（William K.L. Dickson）助

爱为此独力。一八九四年，狄夫妇共刊行《爱迪生之一生与发明》（*The Life and Inventions of Thomas Alva Edison*）。一八八九年夏，初成今日之所谓活动电影戏片者。一八九〇年，马里始采用软片供科学实验之需。

实验室内特备一木房，可迎日光而转，为照戏房。顶可启闭。内则漆成暗黑。外亦糊黑纸，于是得名“黑马利亚”（“Black Maria”）。凡跳舞，斗拳，兽戏等，均在黑背景前举行。惟只限于短节动作，尚未臻后日之银幕剧之境也。

爱又制活动电影“映射器”（“Kinetoscope”），备人观阳像。有接目镜，直接置目前，有机捩拉片，有灯映片。又有一旋回屏，上启小孔，与接目镜配置适宜。只容人一时见一画。余则视觉持久性完成之。

美国电影商业初兴，所有照取术，多赖爱氏专利方法与器械。一八九五年，以映画灯代前之映射器。此灯即前曾行时之幻灯变相也。借强光源发光，经聚光器而出。使阳片移行此光路中，与之垂直。片前更置投射透镜。片之移行亦属间歇式，与照取时同。每一画停顿时，即由快门漏光一次。及其像投至屏，已扩大甚多。故融浃如真连续动作状。惟因种种微疵，不免跳动闪耀。后逐渐改善。一九二一年，纽约出版美海军少将菲斯克（Bradley A. Fiske）著《发明》（*Invention*），称“活动电影机与映射器，在立意，发展，完成之要素上，俱占最高位。实高于一切现存新发明品”。又论活动电影曰：“出片如是之多，供闲人纵观，究属有益与否，盖值教育家讨论。惟其为用，原不专为娱乐而设。在教育与学术上，裨益之大，固将与年俱进也。”

爱初制电影，即重视其教育上之价值。教育家多谓其功能补课本与教师之不及。惟世传爱曾预料“廿年后将用电影代书籍以教儿童”，及谓“活动电影为散播知识唯一利器”，则未免过甚。盖听者殊藐藐。就正式广义言，书本，地图，图画，以及口授，均各有教育上价值。而取验实物，以供构思，将永不可废也。

一九二三年，五月廿二日，《纽约民报》散得斯（Alfred H. Saunders）来函曰：“若谓制造家制物，而教育家不踊跃购用，则诚因果倒置。盖十五或廿年以来，教育家固每向制造家商求供给课室适用物品。而制造家虑不能多获利，乃不之应耳。据教育厅近查学校之备有映射灯者，以万千计，惜无可映射之画片，遂多弃置，听其锈损。”

一九二四年，二月十五日，电影界为爱庆七十七岁诞辰于纽约。爱有演词，则为众信服。其言曰：“余所从事于活动影戏事业者，以机械方面为主，至于用以表扬美术，与促进教育等重要工作，则诸君是赖。余忝居一日之长，敢进片言，请诸君永矢勿忘服务社会之精神。幸勿专重金钱权力，而忽于最上利群工作也。”

一八八〇年，爱方筹备推行分布电流新法。时已获磁力筛矿器之专利权。当十九世纪下半，已有若干发明家试用磁性筛分次等铁矿苗中之铁，而除去“矿筋”（“Gangue”）。爱见美东钢铁厂渐感缺乏高等铁矿之虞，遂取为己任。

一八八一年，爱于长岛南岸廓格（Quogue）设小聚铁厂。其地砂滩上原存所谓黑砂数十万吨，皆极纯之磁性铁屑也。惜厂甫开工，而暴风尽卷黑砂入海。同年麦多克洛夫特承爱命又于洛德岛（Rhode Island）沿岸，设此类筛铁厂一。聚得极品铁一千余吨而售脱。惟后悉其铁颗粒太细，实不合用。爱复谋所以善后之法，卒告成功。

一八八一年至一八九一年间，筛聚矿苗告一停顿。一八九一年至一九〇〇年则为爱致力最勤时。借特别磁针之助，勘定新泽稷省塞塞克斯（Sussex）群山中一大矿藏。即就设筛聚工厂，遂于实业工程设备上享大名。论其计划规模，实居爱氏诸大企业之一，特社会未之熟审耳。计投资二百万元以上，泰半出爱私囊。地本野林，遂成村落，即名爱迪生。而该省中央铁路且自霍帕特充湖（Lake Hopatchong）添辟支线以就之。

工舍系爱所计划，备有自流水与白炽灯。爱于此督工五年，值星期日方返“格棱梦特”（“Glenmont”），其居室竟得“白宫”之雅号。厂外三千亩之内，据爱估计，藏次等铁矿苗二万万吨。较远之一万六千亩内，据云照此推算。

是业中坚当然即磁力筛矿器。爱复益以附属利器，遂能日筛六千吨之多。其矿石，则炸取；一次多至三万吨。由大汽铲倾入戽车，循轻便铁道，运抵二大铁滚子下。滚子实心，长五呎，径六呎，两重十六万七千磅。二滚子相去约十四吋。用皮带拖转，方向互异。其原动力则经若干摩擦啮合子传来。欲通则通，欲断则断，至为迅捷。工程师初虑此法不能实行；及开工，竟出所料。

大石如钢琴者，重五至八吨，自戽车举出卸，入斗状漏口。同时转动滚子，速至每分一哩之谱。随又断其原动力来源，巨石坠落两滚子间。滚子自凭其动量而转动，不受扭掣。于是“乒”然一声，若打巨桩，震耳欲聋。而大石已自两滚子间挤落，碎为若干块，皆径不逾十四吋矣。

再经若干中号滚子，而石块小至普通小石弹大小。更经所谓“三叠滚子”，碾至最细。此部系三竖立圆筒，装架上，各径约三呎，能生十二万五千磅挤力，而绝少摩擦阻力。下一滚子载于固定轴承上。中上二滚子之轴，则皆投活动轴承内，可以升降。小石块先过上中二滚子间，再过中下二者间。上下二滚子之轴端伸出架之上下，每端各带一七槽滑轮。其上跨一铁线环。而环另绕过于一单槽滑轮。此轮受制于一空气筒之活塞。将活塞抽上或压下。改变气压，使铁线环左右运转，而上下二滚子随之起落，更换各组轴承，故摩擦减至甚低，效率高达百分八十四。较当时流行最佳碾机之效率仅得百分十八者，利废直倒置。爱固预证有此日，已而果然。

碾后即须逼干过筛。再依次通过四百八十枚磁石前。其磁场强度逐渐加增，而非磁性物质皆直落。其有磁性之铁屑，则受磁力及地心引力两者合成力，故取曲径而过磁石近旁，但并不附着其上。于是两物质自行分离，各归其下两格箱之一格。非铁质之余渣，作三合土用，亦得善价。铁粒则混入一种粘性物，而压成一吋半厚三吋径之饼。每分可成六十枚。运输既不致碎，即载敞车中，亦不畏雨蚀。且多孔，及入炉熔化时，易受热气体之作用。计二千八百枚重一吨。一八九七年，日出平均七十五车，各载二十吨。〔见一八九七年，十一月，《马克琉耳杂志》（*Mcclures'Magazine*）“爱迪生之铁业革命”〕

厂中所用原料，日近十万立方呎，须运经一哩之遥。爱特制自动转运机以节费。至余渣对含铁物之比，约为三对一。而含铁物中，氧化铁约居百分之九十至九十三。

产次级铁矿地，即近在咫尺，蓄量至多，碾法高强且经济，出货复佳良。伯利恒（Bethlehem）钢厂曾定购一万吨。不意未几而铁业陡生奇变，人力竟无从挽回。盖明尼苏达省（Minnesota）东北米萨巴（Mesaba）山中忽发现极大量极易采之柏塞麦（Bessemer）铁矿，成本极轻。粗矿苗价竟跌至每吨三元五角。爱售铁屑饼，至廉须六元至六元五角，方可获利。若再低减，便无可为。爱虽已解决工程上诸问题，虽已凌驾一切前人，虽已驾轻就熟，垂手而出货，时至今日，返顾九年以来之成就，深觉不可恋栈。终毅然放弃之。

公司负债盈数十万元。惟三年许，即偿清。碾石厂停办，工人遣散，住屋自倒，或为人拆卸供建筑木材用。不出几年，只余残址，听后人凭吊而已。

一方停业，一方爱又别图制造水泥。盖自信于碾石既获经验，正合移用。除旧厂内之分块机与和制铁屑饼之机件等外，果尽入选。如三叠滚子原具光面，后改锉沟纹，使相啮合，如齿轮状，备碾石用。因其料较细，故经过滚子间亦较速。爱复独出心裁，改滚全新式蓄电池。带马二氏记录，二卷，五五四面，记爱与通用电器公司之俾赤（R. H. Beach）之言曰："余不信竭尽心力以搜求佳良旧电池之秘诀，而天犹靳不予宣也。"

爱办碾矿公司时，有同伙马罗立（W. S. Mallory），后亦参与水泥公司事。一九〇二年，爱迪生通用电器公司股票飞涨达最高价时，爱询马曰：“假若余未曾转售余名下之任何部分，则今日当值几何？”

马据该日行市计之，答曰：“四百万元以上。”爱略待片时，欣然应曰：“今虽无及，然前此售得之款，亦曾供畅用矣。何悔之有？”

一九一〇年夏，爱重访旧碾矿厂之颓垣。入“白宫”，坐廊下，喟然兴感曰：“一生最适，当数在此工作之五年勤于操劳，不涉旁念，吸则清气，食则粗馔。然为乐无穷，且获新知至多。将来必为人受用，盖无疑也。”

一八八九年，爱迪生夫妇赴巴黎参观博览会。场中有爱出品专所，分十七部，占面积九千方呎。系爱自备资本十万元以上所筹设者。由爱派哈麦耳为代表督工。复由四十五助手合作。爱得机与巴士德（Pasteur）晤谈，并承法工程师爱斐尔（Alexandre Eiffel）招游其手自设计建成之爱斐尔高塔，登其巅，入爱之私人办公室。适七十一高龄之著名乐章家谷诺（Gounod）在坐，特为奏歌，以示荣异。此外巴黎市长，及法工程师会等，均邀爱赴宴，优遇有加。某夜入剧场包厢，乐队一见，立奏“星光灿烂之国旗”(“The Star-Spangled Banner”)乐章。全院肃立。爱自云:“不胜局促。”及闭会日,“荣誉团”(“Legion of Honor”)授爱以司令职,并强使佩章。爱自谓“受宠若惊也”。

第十三章　制造水泥　创设新式蓄电池

方爱于新泽稷省新村（New Village）设水泥厂时，已在该业兴起后七十五年。盖一八二五年，英国黎芝（Leeds）制砖匠阿斯普丁（Joseph Aspdin）初发明者，以形色似英国坡特兰（Portland）产有用石灰石，故称坡特兰水泥。其由天然含粘土之石灰石煅碾而成之自然水泥，视阿制为劣。盖阿制可多羼砂，凝固较缓，凝后较坚。制造时，系先混石灰石与粘土，成分多少，可随意配合，然后烧之。自后人观之，则阿制诚不免粗陋也。

一八二七年，美国宾省科普雷（Coplay）之舍勒（David O. Saylor）与同伙数人始仿制之。初自工程师怀特（Canvass White）用自然水泥筑伊厘运河后，起而效者甚多。迨人造品上市，始受打击。二十世纪首，人造水泥大盛行。一九〇二年，美国计出 17，230，644 桶，值20，864，078元。而自然品仅8，044，305桶，值4，076，630元。〔见一九二四年，波士顿出版有用知识丛书舍勒著《斧凿劳形》(*Tinkering with Tools*)一九〇面，及一九〇六年，纽约再版《科学的美国人》参考书〕人造水泥之用机，日益改良，而出品亦日进。

故爱初入此业，实为后进。彼盖曾目击此业之发展及为用之日增。又从碾矿日获得许多关于碾石之经验，遂有此图。其放弃碾矿工作，固由天定。然其退也，具有目的，不失为能进能退之名将。带马二氏记录，二卷，五〇二面，记马罗立言，谓爱万不得已收束筛矿事业，即乘下次火车归家。车中定计，将以试造新旧电池为事，并制水泥为副业。庶可清偿宿债，而不问可否弥补旧损失。爱语马罗立时，毅然曰："余所曾参加之各项实业公司，从未负人而终不偿，则此筛矿公司又安可听其居例外之列哉？"惟爱不信留声机事业足以生利助其维持当时重担耳。

爱先广读水泥制法诸书，并多搜各方有关系之底料。随即突如其来，而谋建设。据二氏记录，二卷，五〇九面云，爱穷一日一夜之力，于西奥伦治实验室绘图间内，一气绘就新村水泥厂图样全份。设计至周全，其后十年中，未有重要增补云。此诚大不易事。惟是厂之全钢与水泥工程将告成时，爱趁某星期六往巡视，大半日即返格棱蒙特。凭记忆录出所见各部细件，并一一注明某机应如何改装等。直至星期日午后始毕事。计开六百条之多。随即誊出一份，送交监工员仿行爱所注明一切。此惊人之举，足与绘图事，并传不朽。

制水泥时，先混成原料，纳入回旋窑内，而以烈火烧之。即以细碎煤置窑内以取热。混合物软熔，胶结，成小球体，自窑他端滚出。候冷后，碾细，筛过，即成水泥粉，盛入桶或袋内。

爱又制自动称原料机。触其横梁，则电流断，而斗状入口即自闭。如是可称得每种原料多少适合，以备混合。又制为加细碾机，及分布润泽油之法，足御一万轴承。其最要创制，则长窑。旧式长六十呎，内径五呎许。爱增大至长一百五十呎，径亦照加。自谓如是可同时多制炼混合物，节省费用，且出货更良。普通六十呎窑每廿四时内可出水泥小球体二百桶，及换长窑，而可增至一千一百桶。惟运用时，不使达最高限度，以图经济且耐久。

勒斯力（Lesley）《水泥工业史》一二三面曰："一九〇九年，爱获专利权，得用一百五十呎长窑。时人虑其必拗屈。及实验后，殊不然。由是六十呎窑，一跃而增至一百廿五呎为标准大小矣。爱又初用汽铲以运石矿中之石。初用井钻以开石矿。已而爱之水泥窑益增长。今所用者或长至二百六十呎，日出水泥一千或千余桶。"

爱之经营水泥业，其最堪令人注意处，不在其于标准制造法上所贡献，而在其能表现爱之伟大人格，坚强毅力，与不因人热之独立创造精神也。若谓爱未尝实行改革水泥陈法，彼固至少留有个人特征于其上。据马罗立报告，十年内美国煅制水泥之总量内，泰半皆出自长窑。一九一〇年，较老诸公司之董事辈，对于爱之竞争，虽已不复如前专注，然彼时爱迪生水泥公司，实已升居全国第五位。一九〇五年，日出三千桶；一九二四年，日出至七千五百。水泥厂初发达时，爱方研制留声机用蓄音圆筒，及改良商用留声机。此新机能重诵口述之语，以备修正，谓之授语机（Dietating machine）。同时又研究特别电动机，专备利用电灯电流以推动此机。惟是期内，爱所专注之工作，则在试制碱性蓄电池，处心积虑，备尝艰苦，可谓毕生第一大难题。

所谓蓄电池者，亦犹一切电池，须受自一次电池即弗氏电池〔缘弗打（Alessandro Velta）首先窥见该种作用也〕。一次电池由一群一次电瓶组成。概言之，一次电瓶具有二异种金属体为电极，及一化学溶液为电解物。今日通行式，有锌铜各一片，浸入稀硫酸中，即起化学作用。锌渐消蚀，而电能以生。较复杂者，如干电瓶，为电铃，手电灯，汽油船，汽车，无线电接收器等，所必需。所谓干者，仅属比较之词。外裹锌筒为阴极，中插碳杆为阳极，以代第二金属。两者间紧塞石墨与碳粉及他原料之混合物，以代锌铜电瓶内之酸溶液。故实须微潮润，而非绝对干燥也。干电瓶内，亦由一金属渐溶解而生电流。

一次电池之化学作用，系可逆者。爱尔斯《火焰，电，与照像器》一四四面曰：试就煤气火上煎蛋，熟后，欲再使返生，无论加以何等酷冷，亦无济。无论通以何等强电流，亦枉然。所谓可逆化学作用或反应，则如水之被折为氢氧二气后，相结合重成水。蓄电池之作用亦犹是。故“可逆电池”实为较优名称。特用者少耳。“蓄电池”意谓电能蓄于器中，然殊不足以尽其功用。“二次电池”则最能尽其妙。盖谓就其原状，本不能似一次电池之即发电流。须俟外来电流充之以电，而后始能执行工作也。

一九〇〇年，爱初求通用蓄电池之秘诀时，铅片硫酸式最流行。其后大加改良。如汽车内燃机关所用之三瓶式，尤为人所熟知。蓄电池之原料，早在十九世纪初年，已有人晓。惟一八六一年，普兰特（Gaston Plante）始安置铅于稀硫酸中，而实用之。一八七九年，否耳（Emile Faure）创“糊板”（“Pasted Plate”）法。一八八一年，布拉士（Charles F. Brush，曾发明弧灯法，已见第十章）更改进之。于是铅板硫酸蓄电池乃得在美国商场立足。

普式初组成时，系纯铅板若干块，浸稀硫酸中。须先通电流过板，屡易方向，使板面生一氧化铅。同时因硫酸作用，又使板面被以硫酸铅，几不溶解，得免内部受局部反应而耗失。至是，可用发电机充之以电。二板原属同物质者，遂转化为异物质。阳板面成二氧化铅，质坚，色带红；阴板面系纯铅，质松，而色灰。否式则免“化成”(“Forming”)过程。而先用一氧化铅或红铅(四氧化之铅，又名铅丹)糊，涂于板上。及光电后，阳板表面变成二氧化铅，阴板表面变成纯铅。

总而言之，通过电流以充电后，使阴阳两板各生不同变化。若断绝此电流，而插电池入电路中，则两板即生出电流。一如一次或弗氏电池中两板所为。此电流之方向与充电电流相反，故称可逆电池。其所蓄积之能，实乃化学能。故英人称“积电器”(“Accumulator”)。但化学能又变为电能，而被释出。

明此要旨，则可领略爱之所欲改革者为如何彻底，为如何离经叛道。二氏记录，二卷，九二七面，述爱当一八八〇年后数年中，于门园工作时已不满铅板硫酸式，谓为根本错误。便屡经实验欲改善之，故不以该式为白炽灯之必需附属品，而推煤为当用之最佳蓄电池(较大之电灯厂及电车厂，渐采用蓄电池，当需要缓滞时，使电流归入之。待需要紧急时，再释出，免使发电机操作过度)。故一旦研求新式佳电池，心中抱定二点：一不用铅；二不用酸性溶液，而用碱性溶液。此外则未先决。

爱之黜铅板硫酸电池，以容器物质太受限制；以电解物偶减浅，板辄弯屈绉缩；以细物质颗粒每沉液底；以池重对电容太大；以充电过多，放电过多，或放尽而久不续充，皆易受伤。不独是数者，硫酸更发烟雾，触物致腐蚀。其液遇物，几无不损毁之者。

爱之目的在创制一种新电池，供给原动力，专备普通路上车辆及一部分有轨电车之用。计爱与特选人员通力合作，几十年之久。试验一万余次，始有头绪。试至铁与镍，果能发生所求之电作用。惟此特嚆矢。循序渐进，历程犹多。且数数中蹶，须起而复追。直至试验约五万次，记录文字盈一百五十册，而始达目的。

其制法之繁复揉杂，几无以复加。二氏记录，二卷，五六三面，记爱语化学主任爱勒斯卫斯（J.W.Aylesworth）曰："留声机工作尚有耳目可赖，况又有强显微镜为助。独电池中困难，既不能闻，又不能见。须凭心中之眼以观察也。"故昔年治事之坚忍持久，今又得售。每日夜半始乘车至格棱蒙特。惟往往车迟至翌日上午二三时始归。甚或车返，而人不与焉。初试电池日，亦如研制白炽灯时，常彻夜不眠，或仅微寐。中夜进餐。时见埋首书案，而寝。首枕瓦特（Watt）化学辞典二三册。实验室中人笑谓爱真吸收该书内容矣。寝中偶转侧，然从未颠覆。及寤，立起而重治事。

开始试验五月余，历九千余次，曾无所得。一日，马罗立见爱就坐实验长案旁，案上满陈电瓶等，不觉废然叹曰："尔之工作，不为不多矣。何仍无成绩可言。不亦滋愧乎？"爱莞尔应曰："成绩乎？余已获成绩至多。盖有数千事，旧以为可行者，今乃知其不可矣。"无何，爱果触机而悟，卒解久疑。

爱所用之镍，系氢氧化镍；所用之铁，系氧化铁。即于西奥伦治三哩外，银湖建厂，专制是二物。既而自信时机成熟，可以实行制售电池。即先出所谓E种，虽成本较铅板硫酸式为昂，而甚受用户欢迎，颇能畅销。实因较洁，较轻，较省维持费。且不畏过光电，或久不充电之弊。此点远胜旧式，宜为用者所特别重视。至爱氏声望与报纸广告二种号召力，盖犹余事耳。爱之制器，最重品高质良。此新电池亦处处合标准，具具尽精善。

无何发觉是项电池时或患电容不足之弊。爱信必出品过多过速所致。遂不顾血本大亏，与人言彼已失败，立命停工。并通告重事研究，务获增加容量与寿命而后复业。旧用户续定货，亦不之应。即趸售巨商多方声请，亦不应。以视一般奸商之借广告巧语推销劣货者，相去为何如哉？

自二次大作实验后，完成A种电池。某助手称为精美远出望外。又称爱极善洞奥钩玄，直使诸秘无从遁逃。一九〇九年夏，A式问世。一年以来，出货继增。

此种车上用电池，包含三个大小不等之电瓶为一组。分称A4，A6，A8号，指其中阳板多少之数。最外两板皆阴。故三瓶各有五，七，九枚阴板。板之大小，则三瓶一律。惟盛器分厚薄耳。三瓶共载入轻而坚固之木架，或盘内。按标准集合法，A4号重14.21磅，A6号重20.09磅，A8号重26.15磅。全组仅得同产量之铅板硫酸电池重量一半强而已。

此电瓶可析为四部：（甲）电解物，系百分之廿一氢氧化钾溶液；（乙）若干阳板与阳极连作平结；（丙）若干阴板与阴极连作平结，而分插每二阳板间；（丁）镀镍之钢片盛器。

当充电与放电循环进行时，电解物之比重，质导，与氢氧化钾水溶液浓度，均不变。此溶液既稳定，又不腐蚀金属。故不论完全或部分放电后，久置不用，亦无伤。[1]

阳板系一镀镍之有孔或脊条钢板。容三十管，管各长四吋零八分之一，径四分之一吋。分列两行，各十五枚。内皆填以阳主动物质，即氢氧化镍。前此E种之阳主动物藏穴不与电解物十分密接，故爱特费五年光阴与百余万元，以求改良之。A种之管皆甚薄之钢片制成，穿有小孔，容电解物浸入。管内塞以氢氧化镍多层，及碎镍片多层。碎镍片即最后解决接触问题之物也。塞入时，须加每方吋四吨大压力。故其层皆至薄。计每管之深，竟能盛两物各约三百五十层，共约七百层。碎镍片乃纯镍，经电铸法而成。先于一金属圆筒上，堆积铜及镍各一百层，交互相叠。然后揭下，入溶液，溶去该铜。则余极薄镍片。盈握仅轻如羽，即一英斗亦不过四磅半重。此片作成圆饼状，塞入管内，与管接触至严密，能导电自氢氧化镍来去。又防管遇热膨胀，使接触自密而

[1] 电解物中，兼含微量氢氧化锂。一九二三年，十一月，报载爱于内布拉斯加（Nebraska）省黑山购得矿区，采黝辉石（Spodumene），石内含锂。

疏。复将管外缘边作成双套螺纹状，以金属环套其上，而约束之。[1]

阴板分廿四格，成浅平凹陷长方状。每八格为一列，皆凿孔如阳板之管孔。阴主动原料为一种氧化铁，甚类普通铁锈，最外两（阴）板与盛器之壁间，隔以有孔硬橡皮片，以绝缘。其余阴板与阴板间，则隔以硬橡皮杆。板之下端，垫以硬橡皮十字条，使微离盛器之底，而不可过高，防耗费主动原料太甚也。盛器之壁须作成绉纹状，以增加刚性，而减少重量。

此镍铁电池亦有须特别照顾处。电解物之量较少，故电流过强，则电池温度易于骤增，使电解物蒸发太速；又电解物既少，盛器复属金属制，当然较铅板电池易于凝固。但优点究多，如耐久；较旧式大轻；省维持费；效率较高二倍余，即每充电一次后，能历哩程二倍余。总之，爱所欲实现之完美电池，可谓已成矣。〔见一九一一年，一月十四日，《科学的美国人》，贝克（J. B.

[1] 一九二四年，美国国民教育会联席委员会专门论文集第三卷云：当日通行之阳板管，约长四呎半。用每方吋二千磅压力压入镍片六百三十薄层。电铸时，堆积每种金属至一百廿五薄层。

Baker）“爱迪生最近新发明”〕爱之发明新电池，其间始终黾勉从事，未尝如白炽灯史之作辍无定，时呈惊人之变也。惟所用方法等，则殊堪注意。有与爱共此事十年者，语人曰：“即使爱生平仅从事于此新蓄电池，自研讨试验以迄制成，已足超越著名发明家之列，而跻于伟人之群矣。”

镍铁电池对于潜艇之用，尤为特别适宜。此则初非发明者所逆料。当时军事家犹未尽深信潜艇究足助战与否，故论者纷歧。惟皆公认：艇一下沉后，于人类生存上，实感设备未周。盖浮时，由内燃机关推进之，艇内空气可使流通。及沉时，改由电动机推进。即无从得外方空气，须借钢筒内缩压纯空气以为援。更设复杂机械，以抽出艇内污浊空气，重行滤清之，冷却之，并增新氧，然后送回，供人呼吸。惟仍不能祛除铅板硫酸电池之毒气。

艇内电池生电流，供沉时鼓动电动机以转动推进车叶之用。又供附属电动机控制鱼雷，及驾驶，抽水诸需。当阳板发生氧，阴板发生氢，两种气泡升至电解物溶液顶，穿过电瓶之出气口而逸，各挟微量硫酸与俱。及泡破裂，或蒸发，而硫酸成烟雾。初生时，嗅未强，人并不觉。及既多，而船员遂喉痛咳呛，日久于肺必有损。若遇碱水沾及电池，又生气，为害绝大。至附属费，维持费复巨。须特制包铅墙以护房屋，及衬铅管以通气。此外尚多其他特别装置。

镍铁电池不用敞露气门，而用有盖气门。须池内先生大压力，足以拥开该活瓣，始能纵气泡外逸。即使外逸，氢氧化钾系极佳消毒剂，绝无可虞。但为潜艇专用起见，爱又特加机件，使氢氧化钾完全脱离气泡，用时不需铅墙等保护物。虽经最严格之试验，亦无意外。爱决其必能持久。曾语美海军官曰："保其清洁，以时加水，四年后如新。"海军官等疑问曰："四年乎？"爱曰："然。四年，八年，以次类推，直至潜艇本身失效以后，犹不坏也。"〔见一九一五年，二月，《工业世界》杂志威廉姆兹（C. W. Williams）"爱迪生解决潜艇问题"〕

爱式蓄电池亦宜于无线电广播收音之用。惟须另换特别装置法。据云，寿命超过任何无线电蓄电池三至六倍。

第十四章　晚年发明品　服务政府之成绩

自A种镍铁蓄电池上市，以至欧战发生，其间爱多就其已成发明品而改善光大之，或推衍而转化之。如时时改良其唱盘式留声机，一心破除旧弊，欲使发音逼肖肉喉与真乐器，竟收无上佳果。

一九一二年，创有声活动电影。盖以本人所发明之留声机与活动电影为前驱者也。马科孙（I.F.Marcosson）称爱已实现其多年梦境，并合本人二大发明为一。

爱曰："余早蓄意欲使像与音同生。怀念足三十余年，今始告成。一八七〇年后，余发明留声机，震动一时。一八八七年，制成活动电影机。心中固未尝或忘视听联合之观念也。余初试验音学时，即有时连带及之，欲使实现也。

"视听同时一问题，实全组中最易解决者。其最难者乃在设法摄收远处微音。其器必至灵敏善感，又不可置于近前，而被照电影器所照入。音之强度随距离之平方成反比例。在一呎远为一百，在二呎远仅得廿五。此中困难盖可想见。余虽卒胜利，然犹期大改良也。"〔见一九一三年，三月《曼舍杂志》(*Munsey's Magazine*)马科孙"有声电影之渐来"〕

欲多多明此困难，可试想照活动电影片与收制唱盘两独立工作。前者最要点须置演员与背景于焦距，即可摇动机柄，挨尺照取阴片。演员固可随意念唱。但映出后，俱哑口无声，须由观客另读字幕，方能明了。后者主旨在用记音器记录音波，与原音相同。初试于收音喇叭口外稍远处收取，竟不可得。如是迟迟无办法。

有声电影则兼双方，动作与声音并重，演员随做须随念唱，而所念所唱必尽行收取。故须特制极灵敏记音器，能收四十呎远所生大小用波，而复不显露器身于画中。爱果完成此项实用记音器，而使有声电影告厥成功。

惟尚须一种齐时法。即须同时照像收音，亦同时映画发声，不容毫发或爽。爱运巧思，得解此谜。

有声电影中，先后迟速，一以发音为归，而动作随声附和。照像器外，连带善感收音器，上设进音喇叭口。照像人一摇器柄，则照像与记音并进。有时须先照取若干呎戏片，而后始有音可记，则由一种自动机件专司之。蓄音筒亦系蜡制，与旧式留声机所用大略相似。阴片则用标准假象牙软片。有蜡筒即可制市售所谓“不坏”唱盘，有阴片即可印出阳画供映射。

及映演时，厅后之映射灯，与厅前幕下藏置之留声机，有电线相连。映演人守灯旁，便可操纵该留声机。惟留声机一开，映演人无形中实反被操纵。盖留声机之快慢，乃定电影机之快慢也。当开映时，司机人虽背坐亦可。

一九一三年，三月，《工业世界》杂志蜜拉德（Bailey Millard）“能言之画”，记一九一二年，十一月，爱自述评语曰：“余之理想，尚未达到。余秉永不自满之旨，终能见此新利器不久即更近尽善尽美之域也。”试演之日，老鉴赏家皆称赏不置。所取材，包有乐章，歌曲，短篇喜剧，及名剧精华等碎片。一时较高尚杂歌剧馆多增入此项新游艺。盖有声电影而佳者，果能胜于多数普通歌舞小戏也。爱曾谓，将来可于电影院普通映戏机上，另装齐时器，即可应用。惟逆料有声电影必不能取代无声电影，则各适其用故也，至于推广有声电影，使包罗整本歌剧等，则尚多困难。爱亦深知此中甘苦。

无何风气又变，有声电影不复占娱乐场中地位。爱亦属意于他事。欧战告终，无线电话大为人注意。一九二六年，爱接见某报记者时，曾言美人嗜无声电影，故有声电影不能争胜商场。至有声电影实可供研究历史与科学之用，惜尚未正式经人尝试耳。

自一九〇九年，爱即研究电话留声机（Telescribe，又名传真电报）。自一九一二年，又研究传语留声机（Transophone）。一九一四年，皆告成。前者当留声机之扩充用途，后者当口授留声机之扩充用途。

第九章曾记爱于一八七八年，已存传真电报之概括观念。即欲借自动机件，以记录电话中言语。曾试接留声机于普通电话发收两器上，乃遇种种困难。

后爱卒实现其观念，以记录语音之留声机，供平时口授留声机之用，而不须更动原有装置。但于留声机与电话器外，另设一金属匣。内藏一极灵敏发话器，及一干电池，供给额外电路所需之电流。及一空气开关，预备控制留声机。欲记录电话中语，只须移收话器去钩，而塞其外端向下于一弹簧窝中。窝下有皮垫，该器即安然插定。此时金属匣内之附属发话器已自动被接通。而原有收话器之地位，却由额外电路中一轻便代替器所占领。留声机上有特别收音器，可旋至记音器上，但并不相连。

一俟与电话线接通，而记音筒亦由开关释放使转，即可记音。非惟记取代替收话器上所听得之语音，亦记取原发话器前所灌入之一切音。金属匣内之附属发话器，与弹簧窝内受话器之膜，取一致振动。后将此振动传至留声机记音器上所调准之特别收话器上，此器之膜亦照样振动，乘记音筒旋转时，由一利刃剜成沟纹于蜡上。此项蜡筒谓之电话记录筒（Telescript），可庋藏之，备日后复按稽考等需。利用开关，可使记音筒随时停止，而再转动。故记取语音时，可随意择其重要各段而存之。办公处通用当时流行之爱氏留声机。惟旧式亦可迁就，时人皆谓是器可供多种用途。爱研究传真电话时，兼及电磁记音法。所得知识经验，后果助其发明测音距器（Sound - ranging Apparatus）。时正欧战中也。

传语留声机系爱所改良之办公室用口授留声机。当旧式“口授机”即“爱迪风”屡经日用，遂暴露其短。盖打字员有时漏听一二语，欲重听该段，非从头重听全篇不可。于是加入一种杠杆；以指拨诵音针至记音筒上任何点，均极自如。惟打字员欲搬动杠杆，仍须暂离打字机，遂不免分心，且使工作中断。在商战激烈之世，缮写务速，分秒必较。打字员之依赖速记簿者，多不以爱之办法为然。此种反对，在原则上固自能通。于是爱更加光大与改良其困难当道，须一一征服。亦犹传真电话。

爱于打字机字盘近旁，设一电开关。其按钮与字盘按钮相似。打字员即照平常按键法按之。留声机上设一磁石，其磁路随开关而续断，甚迅捷。磁路一通，磁石吸引衔铁，挽动一相联之传动子（Cam）。举纸轴高离其下之拨进齿轮，并倒曳之至相当一点。

据云此法可增打字效率百分之廿五。而打字员又安适，只须足踹踏板，以进止记音圆筒之转动，更无他劳。此机可装配于任何标准口授机上，并无繁复手续。

至于盘式留声机之唱片，爱特用某种化学物质以制之。销费量大于美国其他任何制造家。此物即煸醇（Phenol）。通称石碳酸，分子式为 C_6H_5OH。爱用其结晶体。谓为功力无比，万不可少。〔见一九一四年，十一月十四日，《电业评论及西方电学家》菲历普斯“爱迪生，波加达斯（Bogardu's）与石碳酸”〕

实业用煸醇，来源端赖煤焦油。俟其热至摄氏一百五十至二百度间，分馏而得。惟美国煤含煸醇太少，蒸取不能获利，须代以英或德产。欧战中来源阻隔。因彼方需煸醇以制苦味酸（Picricacid，即三硝基煸醇 Trinitrophcnol）为猛烈炸药成分之一也。

爱探询美国制造家愿造综合煸醇否。据答云，须六至九月后，方能出货。爱非万不得已，不欲停闭唱盘工厂，遂决意自造综合煸醇。先研究各已知制法，择其个人信为最适宜者，定为标准方法。立兴工建厂。日夜换班三次。破土后仅十八日，已能开工制造。日出煸醇一千磅，足敷应用。而唱盘业得以不辍。人造煸醇视煤焦油中所提得者，尤清纯，甚至超美国药局方所定标准而上之。开工将一月，日产竟增至一吨。爱转变其余为阿斯匹灵，水杨酸钠，水杨酸，及水杨酸焓醯（Salol）等。爱自承焓醇难制。惟自谓“惟明知其难，斯欲尝试耳”。〔见一九一五年，十月二日，《文学汇集》（*The Literary Digest*）“爱迪生对于人类之恩赐”〕

当爱闭其碾矿厂时，保险公司亦取消其保险约。爱询其故。答曰：“此业失败，再为继续保险，则信义一方面冒险太甚。”爱闻而然之。并宣言嗣后建厂不使其有发生信义危险之可能。及于新村兴筑水泥工厂，果尽量采用钢骨及水泥，木材不满一车。后于西奥伦治建厂亦然。当时群信此类建筑物几绝对不畏火，惟亦无确据也。

一九一四年，十二月九日夜，西奥伦治厂中一单层木框屋内验片室失慎，延烧全厂之半。毁砖木屋六所，及钢骨水泥屋七所，内之货物，原料，器具等，翌晨召集人役，爬除余砾。已而加入者愈集愈众。逾数日夜，未息。火灭后卅六小时内，爱已下令重建。并自是番经验，得悉钢骨水泥应加改良之点，庶可更近防火二字之实。又美国水泥学会亦研究此中问题。于会刊中发表其结果，甚为详明。一九一五年，菲城重刊单行本，大有裨于建筑家。

烬余中竟搜获爱之肖像一架。玻璃烧裂，框亦灼焦。而像独无恙。爱于纸台后大书曰：“祝融君从未侵余。”

一九一五年，七月七日，海军总长但尼尔斯（Josephus Daniels）致书于爱，推重美人发明天才，而欲多置器机等，特予发明家以种种便利。尤愿爱多为海军军备上筹画补助与改进，以期争雄海上（但心目中最重视者，殆莫过当时欧战中之潜艇战略也）。其主张则专设一发明处或机关，容纳军民两方发明家之各种建议〔见一九二〇年，华盛顿出版司各脱（L. N. Scott）著《美国海军咨议处记》（*Naval Consulting Board of the United States*），信史也〕。

但于书中设解曰：向例民间有所发明，皆须提交海军所属各局处待核。此等机关早已疲于例行公事，往往错过。至在舰之海军官，虽常有机会发见应加改良各点，惜乎缺乏时间与训练与发明天才，亦终爱莫能助。又海军部本未有实验诸设备，故但欲创设新机关，由经验宏富之专家司之。虽创办经费有著，惟日后经常费不能不由国会指拨。故必先使国会信此办法系得人民赞助而后可。

但续曰:“欲人民拥护,当先录用世上公认之大发明家,备咨询一切重大发明问题。瞻顾全国,惟君中选。既善实现理想,又具种种设备上之便利,最足供君指挥。

“今欲聘君为本处顾问,为国宣劳,谅得同意。本处设备未周,或有应兴而未能者,或有竟为本处所未见及者,但经君认为当兴,便可尝试。至琐屑之务,本处自当勉力自任,不相扰也。所求虽巨,望君以国事为前提,欣然就聘。则海军幸甚,全国幸甚。谨代海军部全体致谢君前,以当酬报。”

但郑重其言,谓若不获爱助,势将不能开办该处云。一九一五年,七月十三日,爱之总工程师兼个人代表赴华盛顿谒但,声明爱已允就。但旋与爱会商于格棱蒙特而定局。但复分头行文美国航空学会,美国化学会,美国电化学会,美国电工学院,美国采矿工程学院,美国数学会,美国航空工程师会,美国土木工程师会,美国机械工程师会,美国采矿工程师会,美国发明人同业会等十一专门团体之会长。各征会员二名,来处供职。另邀哈契孙博士(Dr. M. R. Hutchison)加入。一九一五年十月七日，于华盛顿海军部召集第一次组成会议，定名为美国海军咨议处。爱被举为第一任主席，寻尊为处长。另擢散德斯（William Saunders）继任主席。爱与但原约定只居顾问地位，不涉行政管理诸务。本机关初仅附属于海军总长办公室下。翌年八月廿六日，始由国会认为合法机关，而规定其地位。

是处工作第一声，即调查全美实业状况，预备危急时，改组各制造，使临时产生战事应用原料等。乘机宣传举国备战后盾之运动，以激发民气。是项调查，约亘五月。

一九一六年，五月十三日，纽约举行国民备战大示威。预布爱将加入游行。反对党投书恐吓，谓将致爱死命。爱仍出席，由四暗探左右夹持，终其路线，无意外。海军咨议处人员与爱同行居工程师队之首。沿途人争识爱而礼敬之，且大声喝采，鼓掌，优异出众。报纸刊其游行之像，并称道民众欢迎之烈，与受感之深等。

海军咨议处对国防会议献策。经其接受，遂以国防会议附属机关资格，而改名发明局（自一九一七年二月十五日始，国防会议由农业，商务，内政，劳工，海军，军事六部总长组成）。其科学研讨工作，另归全国研究会议担任。故海军咨议处变为海军及美国政府双方之发明事业机关。每周所接收条陈等，以数百计，多涉海军问题。处员数辈，自行发明新利器。[1]

一九一七年，一月，爱受但请，研究万一美国加入战争后，应作何计划，与借重何种新发明等。遂另委他人代行常务，并停止正在进行中之他项实验工作，专心致力于海军防务，历二年之久。实验室中雇有巧匠五十名，专制应用仪器。全体人员中包含青年工程师数名，为工务助手。外加实业机关及各大学所派之自愿专家。但后为司各脱书撰序，有言曰："爱直成海军军官。亘数月不离海军部。又数次巡行深海，就近实测，而谋解决诸要题。"其实验每达相当程度，即呈明陆海军人员。候命，而继续完成之。

或谓爱前此从未关心于军事新发明，殊不然。一八九八年，美西之役，即曾向海军部献策，用碳化钙及亚磷酸钙实弹，于夜中放之，可烛见敌舰。以其一触水面

[1] 一九一六年四月，由美国大总统建议，命全国科学院组织全国研究会议。一九一七年，二月廿八日，此会议始为国防会议任科学研讨工作。

即炸，而化合物自燃也。燃时，延及数分之久，无从熄灭。有效距离达四五哩。爱又助息谟兹（W. Scatt Sims）合造息爱鱼雷（Sims – Edison Torpedo）。悬于一浮子下。入水数呎。除爆发药外，并附小电动机，以驱进之，驾驶之。当发放时，尾曳一电线缆，可借以控制之。惜速率太低，不切实用。随即废置。

计爱受任命后，实验发明所得成绩，曾向华盛顿当局报告者，得三十九种：

一　窥听潜艇器。

二　船舶转弯捷法。

三　救货船免受潜艇攻击法。（附地图）

四　冲撞垫。

五　领导商船脱离水雷区域法。

六　涂饰货船，以遮眼法，与焚硬煤法。

七　用潜水浮标，以防海岸法。

八　用浅水炸弹测海深法。

九　护送舰之航海灯。

一〇　蒙蔽天边法。

一一　阻鱼电网。

一二　水下探灯。

一三　油质烟幕弹。

一四　探灯用高速信号快门。

一五　辟水弹。

一六　从侧面窥视他艇潜望镜之轮廓法。

一七　引诱潜艇之囮法。

一八　商船于危险区内折行避难法之研究。

一九　减少战舰颠簸法。

二〇　自空气提取气法。

二一　保持沉水后潜艇之稳固平衡法。

二二　潜艇用验氢存在法。

二三　侦察潜艇来袭之诱导天平法。

二四　烟中保持潜望镜或其他观察镜之效力法。

二五　投射弹前段装卧轮法。

二六　最布鲁格（Zeebrugge）港浅水埋鱼雷法。

二七　反光镜通信法。

二八　瞭望员用器。

二九　油弹，备阻碍潜艇视线。

三〇　煤库内灭火法。

三一　侦察敌人飞机法。

三二　听声测远器。

三三　船舶用电话。

三四　发炮瞭望台之云梯。

三五　化学反应弹。

三六　黑夜望远镜。

三七　涂蔽敌人潜望镜用之油。

三八　防止水花遮蔽测远器光路之法。

三九　保护潜艇炮及他用炮类不锈法。

以上各款皆于海军设备大有相关。本书仅能约略说明其中十二款，聊示爱氏对于防范潜艇一问题，用心周详之一斑耳。以下皆据司各脱所述。

窥听潜艇器。系一种支铁杆。预备从船首悬出。上载听器本身，约长廿呎，宽十六吋。黄铜所制。内藏黄铜管若干。其入水一端，则附一留声机膜。欲修理时，可由一电动机转动一螺旋，搬回横杆至舱面上。另设一种抵偿装置，以抵消船机之喧嚣。又借特别安排法，可除去他船之杂声。

无论海涛若何险恶，船尽可每小时驶至十四哩之速，不虞毁伤是器。在船上，可听出一千七百码外他船，及五哩外之潜艇铃声。即大风浪中，亦无阻。据谓用此法测探海中行动物发声最大之鱼雷，可隔四千码之遥，而听来真切。

船舶转弯捷法。与上器连用。商船一侦得鱼雷来袭，立转一正角而避之。须用垂锚四具。垂锚者，圆锥状坚厚帆布袋也。尖端系细绳。而广口缚巨缩，与船相连。平常投水中，以阻船速进。牵其细绳，则解一滑结，而启尖端。

爱所备之四垂锚，各径九呎。系于四吋周粗绳上。绳则固着于船首。垂锚卧船上。及一闻有鱼雷，即投锚入海，同时把舵力转身。凡小船用此法，转弯甚便。即五千吨美兵舰克力奥（Clio），载煤四千二百吨，亦尝试用之，竟能于二分十秒内，转九十度，前进仅二百呎。

冲撞垫。预备商船中鱼雷后，减少货物损失之用。一垫卸下，护炸口。每垫长四十呎，宽三十五呎。卷于六吋轴管上。十五秒内便可卸下。

用浅水炸弹测海深法。大如普通鸟枪弹。制费颇廉。船上装有听潜艇器者，再备此，便可于雾中通平安信号，并测探船下水深达安全度否。分二种：一着底即炸，一按拨定时间而炸。用前种者，知发弹与爆炸中间所历时间，检表可得水深度。

护送舰之航海灯。使敌方潜艇中人不能于水面上观见。该灯用数圆盘，各约十八吋径。漆成黝黑。相距各三十二分一吋。以六烛光白炽灯射光，穿过各盘间。更借一旋转仪（由小电动机推动），维持全器，永取水平，不虞随船颠簸。故光线常平行。虽不为敌艇潜望镜或甲板上人所见，仍入本队他艘樯顶瞭望台中人之目。

水下探灯。曾经反复试验多次。以弧灯与盛水之管试为之。碳棒所带元素亦屡易。因发见惟钡所生景中绿线最善透咸水。虽以六十呎长管满盛海水，得此光助，竟能隔水辨明普通印刷文字。

油质烟幕弹。爆发时，生浓白云，炫敌人之目，以搅乱其视线。制法大概似榴散弹。惟内容代以生烟化合物一罐。

探灯用高速信号快门。系一百叶窗架，连于一电磁石之电路中。更备一电报钥，以控制电磁石，即能使快门启闭。按模斯符号而通讯，每分可四十字。

引诱潜艇之囮法。亦防潜艇之一法。以薄铁片制一高罐，不透水，内分数格，藏一种生烟剂。上通烟囱。燃着后，纵罐入水，烟升有如船过，以迷惑远处潜艇。

潜艇用验氢存在法。氢之存在稍多，便易爆炸，须慎防之。爱法至简易有效，能示万分之三之微。万无一失。

船舶用电话。爱弃微音发话器，而代以受话器作发话器用。加以三级扩音器，使信号之力大增。又改良接耳器。于是远胜旧式。

煤库内灭火法。爱欲求一物，以防止军舰煤舱失慎。卒获硅酸纳（俗呼软玻璃，或水玻璃）有奇效。喷此液于火上。其中少量之水即蒸发，遗玻璃状物覆于煤上，成严密保护层，拒氧内侵，而火自熄。此化合物成本亦廉。

爱为海军策安全时，得力昔年经验不少。如听潜艇器，得力于留声机。高速信号快门，及船舶电话，得力于电报及电话。听声测远法，得力于传真电话。其测法固赖留声机电磁记音器所制之记音筒或片也。爱闻德人方自硇精制硝酸，即重出其昔制铁镍蓄电池所用之器械，准备步后尘。当制蓄电池时，曾通氢与氮过细铁屑上，使铁不复过空气自燃（铁及其他若干金属，碾至极细，露置空气中，与氧化合甚速，且发光生热，谓之自燃的 Pyrophorous，or Pyro-Phoric）。同时得硇精甚多。至是又察悉该铁若与炱调和，尚能生大量硇精，即可使酸类吸收之。

司各脱所撰史中，时时微示为政府实验之种种困难。则以机关兴废，人员进黜，在在影响及于永久性工作也。如爱研制护送舰航海灯时，海军部派一潜艇电机工程师来相助。及折撒比克湾（Chesapeake Bay）试用奏效后，正待正式完成该模型时，而政府忽然撤退该助手。当爱呈明验氢详法时，军中专家议为脆弱不耐用。惟其后有一潜艇如法装置，加入大操，历九阅月后始解除之。则固无恙也。又爱试演听潜艇器时，有小轮船多艘，名为听其调度。“惜皆不健全，须时时修理云。”（见司史一六三面。）试演未竟，而最后派出之船又被召归，于是无从续试。

爱又献策，于投射弹之端添装卧轮一节，使适用于蚀坏或光膛之枪。炮学专家谓是类弹自光膛放出，将头尾倾覆。惟爱后取一磅炮弹试之，并不倾覆。而平常弹反一离光膛即倾覆。爱又研究保护大西洋及沿海商船免遭德潜艇袭击之计划，自绘险要海图等，向各局所征求沿海各埠间商轮来往之统计数字，竟无着。一九二三年，爱于诞辰循例请报界会谈。次晨（二月十三日）纽约《世界报》与《纽约民报》记其言曰：“余于战期中发明不下四十五次。而海军人员不愿受非军人干涉，竟一一搁置不予施行。”惟海军部并无正式文告涉及此节。独华盛顿透出消息，则谓海军官中个人婉词否认，对非军界发明人，有何嫌隙云。

第十五章　零星成绩

爱方逾六旬未久，一日偶共友人论及早岁发明事，显露一种甫经发见趣事之悦色，笑而言曰："余一生曾被牵入千万杂事中矣。君信之乎？"

试为计之，自一八六九年，六月一日，初获自动检票机专利，迄一九一〇年中叶，共满一千三百二十八号。各属一种独立新发明品。平均每十一日，必有新贡献。则爱自述为公允得体也。专利局人员至谓爱出入频数，使户限常为之热云。然其生平发明品，尚不止此。盖有关某行秘诀，而不欲宣布者。有与众共享，而不求专利保障者。更有半途因故而作辍者。此等犹未计入也。

爱又尝被牵入铁路电车事业。美人已于电力行车上著先鞭，颇有巧思。威尔满省（Vermont）布蓝顿（Brandon）铁工兼机匠达丸波尔特（Thomas Davenport）

为第一人。窝雷斯（Milljam Wallace）制弧灯之专门助手法麦耳（Moses G. Farmer）造一电力机关车模型，遍历新英格兰各省以示人。一八五一年，四月廿九日，佩治教授（Prof. C. G. Page）自华盛顿试驶其所制电力发动车。循巴尔的摩尔至俄亥俄铁路，行抵马里兰省（Maryland）布雷登兹堡（Bladensburg）。每小时最速达十九哩。计此段初行蒸汽机关车，仅早二十年耳。一八三〇年，库拍（Peter Cooper）即自巴试行火车至厄力科特厂而复返。该铁路后归巴俄线中一段。佩用葛氏电瓶一百具，生电流，彼时只知化学电池生电法，故为用终有限。至发电机诞降，而其事方大可为。

一八八〇年，爱虽忙于完成中央总厂电灯制，尚能偷闲一究铁路电车。于门园实验室后，特敷一轨。并不平治路基，仅由旧街车铁轨凑成。用临时手续，草草绝缘。绕作一圈，约长三分之一哩。经一小丘下，并具险弯数处。轨阔约三呎六吋。

其电流发自爱氏燃灯发电机二具。机系所谓Z字种，俗呼长腰式。马力约近十二匹。内抗小，而外有高抗电场，与其他爱氏发电机同。其电流由地下导出，盖爱始终不赞成空中线也。所用机关车老朽与轨伍。即于平常四轮货车上，装一第三长腰发电机。以发电子向车前。车之一侧之轮，自该轨条得电流，引入发电机，使充电动机。而电流复循他侧之轮，归该侧轨条。此电动机谓之平结。初用一组摩擦滑车以传动力至主轴。其设备颇繁复。司机人欲车倒退，则按一开关，使电流在发电子圈内改向〔见一九一一年，十一月十八日，《科学的美国人》马丁（T. C. Martin）“爱迪生于铁路电车之开山事”〕。

一八八〇年五月十三日，初试车。附近人士咸欲一乘为快。摩擦滑车旋即损坏。爱立弃之，易以皮带。一自发电子至副轴，一自副轴至主轴。电动机一转动后，即由一游轮掣挺第二皮带，而机关车得前进。较摩擦滑车法不见高明。因主轴皮带若收紧太急，发电子便烧焦。马丁谓“试验时闻，此焦嗅甚多，使人畏惧”。皮带松滑太甚，则亦易灼焦。而在试用中，皮带固滑溜不息也。

于是爱插抵抗箱入发电子电路。中复遍加抵抗箱于粗陋机关车全身。待车速递加，即逐渐减少抵抗，至车速达最高限为止。爱信可以他法代此多数抵抗箱。因绕铜线于电动机场磁石之一腿上，由一栓钥司启闭，使此圈与发电子电路可以相隔，可以相通。故施用动力之难题，得以逐渐解决。盖当日此部工作之有赖尝试与经验者，乃至此极也。

爱更置备新车辆。计增一平底敞车，一平底带篷车，载二凳供客坐，及一房间式车，美其名曰普尔曼客车。路线延长至一哩许，规定行车办法。各界人士争来观看。其车蜿蜒于门园背后一带，为状较最初小火车尤饶奇趣。机关车可速至每小时四十哩。有时腾跃出轨，幸无伤亡。

火车人员与铁路工程师对此非漠然，即不信。惟未若樊特比尔（Vanderbilt）斥卫斯亭豪斯（George Westinghouse）之空气车闸为愚人自扰时之疾言厉色耳。亦未若哈巴德（Gardiner Hubbard）闻贝尔道其电话，而诋为信口雌黄之令人绝倒。但究其质，则去两者诚不远。宾省铁车总经理汤姆孙（Frank Thomson）一日适乘爱车。爱请其试办拉威（Rahway）与伯斯·安倍（Perth Amboy）间七哩路线。条陈一种大电力机关车，轮径六呎，马力三百者。汤全不信，谓为不可能。且坚持无他原动力足代汽者。爱自是自承汤殆误会而入迷途矣。

大人物中解实行者，惟报界兼金融界之维拉德（Henry Villard）为能领略爱之用意。维固曾充爱迪生电灯公司董事者，深知白炽灯之价值。其记事录，二卷，八章，三二五面云："维君自始深信电可供转运原动力用。且预期将来有取代工厂与标准火车铁路之蒸汽之一日。"一八八一年九月，爱与维订约。由维筹资，由爱试造电力机关车二具。一供货车用，载重十吨。一供客车用，须速至每小时六十哩。若试验成功，维即求爱迪生电灯公司助其在西方产麦地兴筑电力铁路，至少五十哩。时维方任北太平洋铁路总经理，意在沿干线分设短供给线若干段，以吸收内地之麦也。

门园一线又延至三哩，建筑法已改良。计增车棚一，转盘二，避车线三，及新机关车二。落成后，照例装设探路灯，排路箕，及司机室等。客车一次竟载客九十。虽试车满意，无奈北太平洋铁路发生困难，脱离维手，遂无地实施。爱迪生电灯公司不肯对供给线原议稍予通融。而维已费三万余元。爱只得个人赔偿之。

其后维重入该路，爱则留西奥伦治。维欲于山岳区设电力铁路，复与爱商。爱进其第三轨法。维之工程师皆谓不可能。维本人则亦犹爱，尚未完全自信也。其记事录有云：“一八九二年，一月，维已召集纽约电业专家及铁路专家，讨论北太平洋干线所属芝加哥终点各线，及其他若干支线，改用电力问题，当时否决其可能。但电力运输实日见发达，已证明维说。即将来电流终有战胜蒸汽之一日也。”

一八八三年，美国电力铁路公司成立。预备合并爱迪生及飞尔德（Stephen D. Field）两方所营事业。委爱为电业顾问，而任飞为工程师。初办颇顺遂。惜营业方面失措，内部起意见。至一八九〇年，而所有爱氏专利权悉派归一八八九年维所组织之爱迪生通用电器公司。一八九六年，而铁路公司转归新手接办。新手仍售飞之专利权还飞。飞更售之卫斯亭豪斯公司。故飞爱二人自身无失。而工作未直接见效。此电力铁路，受二人力倡于先，而终由凡得坡尔（C. J. Van de Poele），达夫特（Leo Daft），斯普累格（Frank J. Sprague）等续持于后。曩日自命见地永不谬误之辈，其见地皆终不免谬误。观电力铁路后来发达之盛，可为明证。汤姆孙改其纽约终点一段为电力铁路，纽约中央亦然。曼哈坦高架路线初拒用爱所特别计划之方法，终仍采用。其他高架路线亦如之。至纽约地下路线，则自始即用电。纽约中央及新港（New Haven）各线，亦增设电力区域。若门园及西奥伦治以外，远地如伊里诺斯省中央线，于芝加哥内外一带，改用电力。芝加哥、密尔窝基、圣保罗，及大北二线，于山岳区内亦改用电。总之，爱维确具先见之明。爱之初创电力机关车，自门园废厂拯出，藏于纽约布鲁克林之普拉特学院（Pratt Institute）为纪念焉。

爱又旁涉飞行术。惟本人未尝亲飞，仅造成一直轴螺旋升高机（Helicopter）。此机并不能飞，只能直升而上。今日飞机则脱胎自滑走机也。一九二三年二月十三日，纽约《世界报》记爱诞日晤客，语曰："余目击升高机逐渐进步，余向深信其将有今日。三十八年前，本涅持（James Gordon Bennett）给余一千元，试验飞行术。余造一升高机。惜太重。盖余用行市标价纸制成火棉，装入机筒内，而纵电花爆发之。

"虽成绩颇佳，不幸误灼一人，伤颇重。亦自焚发少许。而升高机亦难再有进步。余知尚在尝试期中，即言于本，谓能缩小发动机关至每马力仅得三四磅重量，则升高机必成功。余彼时信此为唯一妙法，且最有实现之可能。至今未改初衷。惟须待诸异日，方克观厥成耳。”

或谓不用电线而借电通讯之法，仅得所谓电波放射能（Radio）一法，其实不然。电波放射能仅属“无线”电信之一种，专借电磁波者也。当马可尼未行其无线电前五十余年，模斯已于华盛顿一运河中，用电流传导法，废线而通讯。其后他人或用传导，或用诱导（感应），皆得相当成绩。爱与季力兰德（Ezra T. Gilliland）据静电诱导原理，成火车无线电信法一种，甚有效。

先就斯塔腾岛（Staten Island）铁路上，试用之。一八八七年，而正式施行于利亥河流域（Lehigh Valley）。俗呼蚱蜢式电报机。于沿途植短杆（或谓即常杆常线）张线。线路一端在各站发报处。他端则在来往车上。车顶装金属片，与电报机相连，机内标准各件，稍经更动，盖以营营发音器，及电话受话器各一。其发号处设备相似。发信时，使营营器继续振动。由司报生按钥断之，成长划短点，即成模斯符号。更赖诱导，而自电报线传至车，或自车至线。距离不逾五十呎。由受话器内，可听得符号甚清晰。此法用于利亥河流域若干时。据爱自云，某资本家购得此新品之专利权种种，而不允再转售。

惟爱更向电波放射能进一步研究之。察得诱导电信法可超越火车电报所须距离限制甚多，遂拟用金属板或其他适宜蓄集板，架置水或陆面以上高空中。而以高压诱导圈之二次电路连是等板至地。发信器包含一断流器，由电动机转动之。其电路，平时由电钥使变短，除发号时，是时则按钥，圈中一次电路引起冲击。二次电路随于蓄集板上发生相当之电应力变化。此等变化力足产生电动力，而达受信站之补足板（Complemental Plate）受信时用"电动话机"，即爱氏大声电话机，诱导电流，使电话机朗诵各符号。爱以为如此特宜于大洋外船舶彼此通讯，或沿海各站与近海船通讯。虽未继续发展之，然已博历史上价值。

最奇巧者，则数年以前爱偶触电波放射能之真秘诀。与同伙试验一月许，又及他题，竟当面错过。其后研究无线通电报法，不复忆起前所发见。所谓"能媒电流"（"Etheric Current"），亦不思利用之。此能媒电流，系爱一八七五年，在纽亚克所初发见又称"能媒力"

（“Etheric force”）。

一日，爱悬钢棍之一端，而以磁石引使振动。忽见磁石铁心发火花，大为惊异。特制暗箱，再验之。箱内设二碳极，可借测微螺旋以调节其高下远近。插箱入振器电路中。而自接目镜可窥见碳极间之火花。更历试其他现象甚多。包罗贾法尼以降之著名蛙股戏。惟蛙与音响器与暗箱同插入电路后，碳尖间火花虽大明，而蛙股不动。爱深异之。后一八八一年，巴赤勒携暗箱赴巴黎国际电业展览会，与爱氏其他出品共陈焉。

赫耳兹（Heinrich Hertz）从而察之，遂发见电磁波，亦能自造之。因又称“赫氏波”（“Hertzian Waves”）。赫更证明是波与热波光波均相似。然赫非自爱氏工作而始有得。盖一八六七年，马克斯卫尔（Clerk Maxwell）早已根据理论，说明电磁波之确状。此波即今之无线电所用者，及赫而证实马说〔见一九二三年，波士顿出版和干（J. V. L. Hogan）《无线电大纲》〕。

向使爱续究能媒电流，或能媒力之说，或空间电报术，未始不可沟通无线电之途。一八八九年，克尔文爵士（Lard Kelvin）于伦敦电机工程师学会前，演讲曰：“爱氏殆已见及赫氏火花。彼名之曰‘能力’。此在十三年前，人或斥为妄诞也。然今则争称此类诱导现象为能媒现象矣。”爱之高架金属板法，若从未经实行发展者。爱自谓未用天线，火花间隙，及高速电磁波。故与马可尼法根本不同。二氏记事录，二卷，三八〇面云：一九〇三年，另有一公司准备出价收买爱之新计划。爱以重马故，不欲他人得之与为劲敌。竟售于马氏公司。

方爱研制白炽灯时，曾察见一现象，与白炽物体之射出电子相连属。科学家命之曰“爱氏效应”（“Edison Effect”），于无线电史有大功。一九〇四年，英国佛来铭教授（Prof. J. A. Fleming）就白炽灯稍改造之，用以检视无线电波。随即有人制成真空管检波器，或三极球真空管，以检验波之有无，以扩大之，以传导之。为无线电器中行用极广之一部分（见和干《无线电大纲》一六页）。

爱亦旁涉建筑事业。惟自上而下，先顶后基。又连成整片段，不分部，与众大不相同。盖一气浇成也。

爱营水泥业后，见水泥常共砂砾等羼和作混凝土，以范成诸物。因悟何不如法造屋。曾自谓充屋型之大小，可造六室之屋，值仅三百元许耳。且制型可用多次，制型费无须增加。

随后爱实行试筑。始知预计之费，尚须重定。且亦无从速至三小时浇成，三日干透居人。惟几经改良，终能登理论于实行之域。

当时拟就工业区等处同时兴筑许多房屋，庶可减轻成本，而使利归爱心目中所欲厚遇之人。其型系双层分格之铸铁板所合成。内面光平，凡细小起伏等处，另由镀镍板及黄铜面为之。竖立时，借电力吊车，或动臂之力。先凿整石成窑墙，以置型。型板多至数百，赖钉与闩相连结。若屋顶地板等处需要钢骨者，另加型内。并先置铅管，水管，煤气管，电灯暗线等，然后倾水泥入型。[1]

混合时，按水泥一，松砂三，砾或碎石五之比。外加胶状物质，使倾注时得以流行均匀，并维持较重块不沉。砾最宜取诸当地。先盛混合物于储斗内，送至屋顶

[1] 一九〇八年，四月十八日，《科学的美国人》补编拉涅德（E. S. Larned）撰《爱迪生之水泥屋》，原见《水泥时代》，而由《科学的美国人》杂志社重印单行。今绝版。

之分布漏斗。再循各管，泻入型中。计六小时内，可浇成三层屋一所。逾六日而凝固。

迨混凝土变硬后，撤去型板，而全屋宛在。梯也，隔墙也，甚至浴缸，濯盆，及壁炉，架挂画位也，均已生成。只待另装取暖器，水管等外口，及门窗等零件而已。内外墙并可随意粉刷。

为变换格式起见，特制不同之型六具，为一组。各具各部分，并可拼卸换装，庶增多新样。据云每型每月可造二所，六型可得十二所。顾土木工程师及混凝土专家，多不值爱之宣称。盖谓混合物不能自由流动。即能自由流入铅直空格，亦不注入水平部分。表面不能致密。较重物质将下沉，而混合物失其均匀性。胶状体加入后，便不能速凝固。种种反对，不一而足。但一九一〇年，爱已改进有加，即待发表困难悉除，浇屋已经确切实现云云。不欲自私其利。除收回成本外，许众公开仿效。惟加以极公允限制而已。[1]

[1] 一九二三年，十月，报载福德汽车公司所属第耳本（Dearborn）厂南五千英亩广土上，拟浇屋三万所，用型可生十二种变化。屋成将近本出售云云。二年后，始证明殊非事实。

爱氏发明品中，又有电笔一种，备制镂空版而复印文件用。后为誊写板所代。电笔附带小电池，生电流。笔管内有导线，绕成螺旋柱状。中藏钢轴。下接一尖笔。电流一通，线圈成螺线磁石，对轴发生引斥，互相更迭，使尖笔运动。就一种特制纸上凿穿许多细孔，而成镂空版。

爱于电界有即停电流计（Dead-beat Galvanometer）之发明。常用电流计以测定电流强度者，具有一圈及一磁针。电流过圈，使圈中针偏斜。就旁附尺度，可读出偏斜量多少。惟针必左右摆使若干次，始停定。即停电流计之针不摆而立即停定。爱不用圈与针，而代以铂铱短线一段，闭置玻璃管中，电流使线膨胀。而借一弹簧圈伸展力，推动一有枢之杆。杆上带一小镜。杆动，则镜射光至附尺某点。

又有爱拉二氏（Edison-Lalande）一次电池，为爱之制造品之一，亦值一谈。此电池用于铁路符号最宜。据云不生极化，即氢气泡不集于阴极面上。抵抗不增，而流强不减。

即X线亦爱所尝弄。此光线系一八九五年，栾琴教授（Roentgen）所发见。其后未几，爱即命助手物色各种化合成分之结晶体。计获八千种许。盖欲求萤光物质（在X线下能发光者）也。检视后，得一千八百种，而推钨酸钙为最。

爱初制萤光灯，即于玻璃泡内涂钨酸钙，排去空气至充分程度。则一遇X线照之，钨酸钙即发萤光，而泡变为灯。爱又发明验萤器（Fluoroscope），以观察X线之效应。其状为一匣，向外扩张，如喇叭口。口上可插一萤光屏。屏内面涂以钨酸钙。他端按一接目镜，与实体镜所用者相似。全器并配以柄，备把握。试置一物于X光源及屏间，即见有“影”投于屏上。一八九六年，纽约电业展览会场中，陈有爱氏验萤器。殆为X线在美公开试演之第一遭。此项原理应用于外科手术上，极有效。

此外存心叵测之辈，异想天开，欲借X线以餍私欲。竟有公然致书西奥伦治实验室，密谋不法者。观下函可见一斑：“径启者。鄙人敬恳君为制一称特别X线器，专备赌场偷窥纸牌之用。最善莫如藏诸身畔，加诸眼镜上，俾得透视表面以下第二张。君若能制此物，请示代价。俟用后有效，将按年另行奉酬五千元。请严守秘密为要。君如以为不可能，则请示栾琴教授住址。伫候赐音云云。”据谓此系事实。原函曾见印本也。

又有验嗅器（Odorscope，or Odoroscope）者，亦如微压计，借重碳质遇压力增加而抵抗减低之特性以制成。甚为精巧。微压计有硬橡皮条一，碳钮一，铂片二。验嗅器则有兽胶一条代硬橡皮。此器不独易感热，亦极易感水蒸气。试于室内地板上洒水或香水数滴，便可从该器窥出有变更。设一电池与一电流计于碳钮及二铂片之电路中，电流计即有表示。此法可用以检验各气体，又可适用于湿度计气压计等。

较此著名多多者，则为扩音器（Megaphone）。惟已非原制。方爱初制时，系二漏斗状木或金属喇叭，支于三足架上，相向成一定角。两者间有一发语筒。喇叭细端接出柔软听管。如是人声可达二哩外。今之所谓扩音器，乃韧纸所制漏斗。状似旧扩音器之受话器。惟作发话器用。凡帆船夫，运动呐喊员，舵手，电影导演员，报告员，向导等，皆赖之。广厦大厅中，且借以唤客就餐也。

爱又创制二特种电动机。第一种根据热对磁性所生效应。磁铁遇热，发生甚多变化。至暗红热程度，则失磁性。此皆实验家所早知。爱因此用一电磁石及一立枢铁棒为主，成其热磁电动机(Pyromagnetic Motor)。热时，棒不为磁石所吸引；冷时，始被吸。因发生运动。盖亦利用热变电能之原理也。

第二种为音电动机（Phonomotor），或称声音发动机关（Voice-engine）。实奇特玄学玩具。人向膜发语。膜触动一掣子。掣子牵动一棘齿轮，轮带转一滑车。滑车轮上套一绳，即引动一纸人，使作某种机械的运动，如锯木等。此为爱研究振膜之一助，与发明留声机不无关系也。吾侪日吐多言，实耗多量之能于空中。用此法或可移作其他有用之工。诚开前人未有之思也。

以上零星发明不过略举其例，已足见爱之心思灵活，见地广远，与通才无碍也。发明，计划，策略，想念，暗示等，盖为其家常便饭。虽余点滴，亦弥富价值。自我辈观之，觉爱能同时治理若干截乎不相同之研究问题，或随时更换问题，而各不相妨。有时对一题费时甚久，有时视为目前无可利用，或更有较善之法，则半途弃旧更新。间有让次要之位于首要者。亦有因营业同伙失算，而停顿者，如电力铁路是。不然，则转手他人，以便继续发展。惟无论如何，常有新工作须施行。一事未竟，辄引起他事也。

其发明范围，包罗万有。无人能预料其将有何作为。“导丝”（“Filament”）一名词之用于电学，即自爱始。今日包裹食物等用之蜡纸，亦爱所创。

矿工安全灯之最合用者，当推爱制。由工人腰带上携一特别电瓶，以供给电流。

今日电话中招呼第一声例用“哈罗！”（“Hello！”），据云创自门园实验室。彼时爱方为柏尔机进展发话器，不意是语竟遍布全世。柏原用“阿呵”〔即“呃吓”，（“Ahoy”）〕也。一八七六年，柏检视波士顿与剑桥（Carnbridge）间电话线时，即呼“阿呵”，使他终点制器员瓦特孙（Thomas Watson）闻之，瓦亦应以“阿呵”，并报云各器俱无恙。

《世纪字典》曰：“哈罗”作见面客套语用时，只限于简单浅易通俗谈话。一九二二年，八月五日，《纽约晚报》曰：“柏尔博士未能使‘阿呵’与其发明品并传，实一憾事。‘阿呵’为声雄浑圆满，达于四表。奈何听其沦为平淡无神又乏意义之‘哈罗’哉。试思电话交谈中遇阻难，得此一声，以度过之。为效当若何？使最固执之通话人，闻其和悦之音，亦将转为和善。最好睡之侍役，闻其热烈之音，亦将振作。又从其海军方面之联想而论，更足以激发理想力而令人愉快。虽然‘哈罗’终遍布美国及他处，独英人仍抱其‘是尔耶？’（‘Are you there？’）一句，以为庄严且谐音韵理云。”

爱任海军咨议处处长后，复续理其永无止境之发明事业。即改良其已制成诸新品。此外更有执行职务及化学实验工作。爱素嗜化学实验。即冬季赴佛罗里达（Florida）迈耳斯垒（Fort Myers）一哩外别墅避寒数周内，尚设临时化学实验室，及小机厂。一九二四年，八月，偕福德及维耳斯吞（Harvey Firestone）留威尔满省普里穆斯晋谒大总统顾立治（Coolidge）。有记者询曰："君之发明近来何如？"爱笑应曰："余不过因所务既多且杂，自然偶有成就耳。"

若于爱之真实发明品外，加以世俗相传爱之无稽发明品，则总数将更多至惊人。其中有融雪器一说。谓爱用大镜反射日或强电灯之光，使雪随降随融，俾免堵塞通衢与铁轨等。盖报馆星期增刊科学谈话中材料，未必果有其事也。

其尤荒诞者，谓爱制多层衬衫（Stratified Shirt）。信者甚众。是盖某报遣记者刺探爱氏消息，记者无所得，因随心构说。谓其衫胸部仅三百六十五层薄织品所叠成，制法秘不可宣。服者晨起撕去最外一层，即露新衫，全无污点。各报争传，远至中国与秘鲁。欲购买代销与探询者，纷寄书来。甚至随附支票汇票等。盖社会人士确久已盼此物至殷也。爱深恶造谣者，自言曰："余苟执此人，必使其数周内不思更加任何衬衫等于胸背也。"

爱初研白炽灯时，曾编书，论隔离电厂之设置法。又生平曾投稿普通杂志及工业专门报章若干次。相传其第二次至路易斯维为电报生时，曾撰"电学论"一卷。然无从证实。又曾共拉斯罗普（George Parsons Lathrop）合著惊人小说一种，专介绍从未经人道及之离奇新发明，而根据科学为之娓娓叙述。亦犹味纶（Jules Verne）与卫尔斯（H. G. Wells）所为。惟未成而罢。今已不知何存。

第十六章　爱迪生之人格

今日所能考，照像器所照人像，以一八四〇年纽约大学德累柏耳博士（Dr. John W. Draper）为其妹多洛替（Dorothy）所制银板像为第一声。其后七年，爱诞生。遂与照像术同长成。亦对其术有活动电影照像器之贡献。而照像所显美国民众伟人之肖容，亦推爱独多。试取是多数肖像而较之，若不见爱之老去者。更观油绘与雕刻，虽范围较狭，其指示此点，则更可靠。

爱长五呎九吋半。为电报生时，状甚癯。及居纽亚克门园时仍瘠。近四旬，方渐肥。面庞亦较圆满。颜容颇奇特。面大，神宁。直爽，和善，而坚定。目灰色，流利多光芒。颔端凝，鼻隆高，口大而秀，善感，耳轮广而俯贴。颅顶圆耸似穹。发黑已黪。自右挑分。左侧每垂一二细绺，披拂于广额之前。所谓理想家与实行家两种特相，皆集于一身。

一八七八年，十一月，《斯克立布涅耳》月刊（今改《世纪》杂志）比沙普（William H. Bishop）记游门园之一夕，于实验室中值爱氏“方躬亲某琐项工作。手沾酸液。体被现成常服。神色类工匠。惟以苍白故，致人疑为印刷夜工。面部官体甚大。额高广，目浅灰，鼻不甚周正。齿亦然。当其仰视时，注意力复徐徐而至。惟既至后，则至充足，至诚恳。一片爽直，令人倾倒。平居休息，若有不豫。至是而笑逐颜开。不复呈老态。几类中校学生课余后百无忧虑之状”。

爱肩博胸厚，天生耐劳。四旬时，重一百七十五磅。计经廿五年之久，无增减。所服新衣，悉由纽约缝工据旧衣大小而制，不必面取度量。保险家等所定平均重量表内，与爱等高男子，较爱轻十磅。惟爱实非普通人。虽六十五后，腰围略增，并不呈臃肿。即就目前言，亦非肥胖。

一九一一年，十一月四日，《哈拍周刊》英格力斯（William Inglis）形容爱之仪表，栩栩欲活：“发已白，散成若干小束，露出头顶数处。广额之基，浓眉怒伸。黝黑如墨，与皓发相映衬。目色深灰蓝（至少在电灯下如此），类深色璞玉，并不闪灼，惟发语时自呈异光若直透人胸。其长鼻厚颔，则照像中早已见惯。至阔口常笑，向所未注意。方一笑之顷，若无忧虑，又能以力感人也。”

又云：“爱手尤值纵观。非以粗筋强肌显，而修长且陷其背。盖属于理想家者也。十指细瘦如触角。无往而不具玄想力。手背自腕至指上节，确微凹。但观爱手，必谓是人专事精致而广大之想像；及见颐之方，后颅之深广，与躯干之丰满，方识其兼具无上奋斗精力。斯能实现其种种理想，百折不挠。卒底于成者也。”

四年后，身任美国海军咨议处处长，一九一五年十月廿八日，《国民》杂志《首都通讯录》记爱曰：“偶一观之，若无以异于常人。及晤面把手，四目相瞩，然后受其感动。广大面庞乃呈欢颜，与向之沉郁者大不相侔。丰满躯体又若自挺立而弛纵。惟晚年颇苦口谈，则重听日深也。”

爱初生，家人以为孱弱。然无何即破除此说。试观其为车役日，所照银板像，已壮健愉快，甚为可人。生平罕病。自先人袭得坚强耐苦之体力，与平均发达之脑力。马丁云：“爱年青时，实验室某人员为著名发明家，曾就问耐劳力作之秘。爱随口应以晨啖烘干酪一事。其人信以为良方。仿行六周之久，疲羸几死，始就医调养。”

烘干酪若无神效，则其秘究何在？其在消遣之方乎？亦非也。爱实以额外工作为消遣者也。然则游戏乎？亦非也。爱所有游戏仅偶钓于新泽稷海岸而已，其后不时击台球。曾于卢厄林园（Lleivellyn）宅中，备一台球房。然户内游戏之最中爱意者，实数东印度旧俗中之贝壳骰（Pachisi），西方人改称“Parcheesi”者。至户外运动，竟全不参加。假期旅行，偶一为之。然则其诀究安在？

质言之，此秘实难明。是类人轻易不使其秘得宣也。勃劳宁（Browning）曰：“外表足资证实。”我侪之于物，多少不免凭外表论断。观爱为人，体质特强，抵抗力特大。对衣食，善用常识，以为节制。曾言：“凡欲有作为者，切不可多饮酒。”其神经极安定。故虽短眠，亦立入睡乡。不中觉，能大收休息之效。又因时易工作。无形中，得救济不少。事之无可挽回者，听之，不使徒劳其心，亦养性一道。又一切生活与工作，更随时随地善为筹妥步骤，亦不无裨益也。

著者曾参观某辗铜厂。见一群工人操作至从容。异而问故，始知若辈久经搬动重金属块，自阅历中得来从容不迫之度。工作既妥善，人力又持久。爱之治事即如此。从不见其懈惰，亦从不见其忙迫而慌乱。其凝神专注，稳定复能持久。总之，全无标准美国人之轻躁急进，凭一时勇气之风。

汽车兴，爱得机常出游。年高，则每岁邀至友数辈，乘车环游二周。习以为常。既而更延长其南行避寒之期。辄偕福德共向佛罗里达省奥伦治河垂钓。此外亦间休假，工作时间减少。一九二三年，"只十六小时"。在爱生平，已属至少。而每日所进黑雪茄与黑咖啡，亦随减。食物选择较苛。肉类少，而果实多。值诞辰，辄邀爱迪生先锋会员赴宴。"老人"另备专肴。或以铁匣盛家膳往。一九二四年，计进美柚寿酒，沙丁鱼，菠菜，煮蕃茄，及牛乳。食已，徐含雪茄，不交谈，亦不轻笑。

一九二一年诞辰，爱语群记者曰：有以七旬外人生活为问者，绝不厌闻。"若有厌闻者，必其人心力康健时未尝多参与许多事业。常精神活泼畅旺时，实可多读书，多观察人类。七十先告退者，无异自期三年必死。

余不欲告退；必待医生携氧瓶来，方自甘放弃一切也。”（见一九二一年，二月十二日，《纽约民报》）

七十五生辰，人问其安否。答曰：“余固日夜双班工作之人，当然长觉安康。又自信翌年仍能如日方中。”七十七生辰，人又询其有无新人生观。爱书答曰：“工作为先。工作可发自然之神秘，为人类实行谋幸福。观察事物，必于其光明灿烂之方。”（见一九二二年，二月十三日，《世界》社论；一九二四年，二月十一日，十二日，《纽约民报》）

一九二四年，五月十三日，爱生七十七年后三月，为纽约大学扬名堂（Hall of Fame）亨利（Joseph Henry）胸像行揭幕礼。据比沙普（William H. Bishop，与爱约同庚）寄著者书云：“爱于寒风中，免冠科首，坐讲台上数小时。诚他人所难堪。”当夜爱又在纽约观电影。及返卢园，竟与汽车夫同坐前往。迎风而驰，并未加大氅。然步行人则泰半披薄大氅也。

爱之用目，无微不至。又多从人造光下工作，垂六十年。然至是仍只于读书及作细工时一御镜耳。爱之一同伙马罗立曾见某眼科专家为爱验眼。其人不识爱。问马曰："余从未见如是之视神经。常人细如线，此君粗如绳。殆必某界奇特之士也。"

爱为电报生时，人咸谓其衣饰粗陋，举止鲁钝。至人言其晚年盖不修边幅，则多过甚其说。惟爱生平对服饰一主至简。重晦暗色彩，与沉静花纹。又信衣宜松著。腰带视腰围差，大履亦视足稍长。好御低领，或前方广张者，以容喉结自在。与英葛拉德士吞同癖。领结或作活式，或作细窄式。色尚白黑。

俗传爱绝对不顾服装，大约起自门园研究改良白炽灯日。入实验室访爱者，不免见其敝衣遍染化学品污迹。然当工作之顷，此实最适宜之衣。一八七八年，职员中照像师爱萨克斯（Isaacs），为爱等照一团体像于实验室东廊上。爱固未尝较余人服装粗简，作预备操劳状也。惟持较彼日商界，及其他专业人之浆硬领，挺胸衣，燕尾服等，则爱诚粗野矣。方纽约珍珠街电厂外，安设总管时，爱每周入沟工作四晚，即偃卧窑中管堆之上。当然全不似爱迪生电光公司董事气派。且世人好目衣履放肆者为天才，为不拘小节，报界又从而张大之。

喀莱尔（Carlyle）形容豪华子曰：竭尽心力，惟求服饰之美好，不啻竭诚献神云云。爱诚非是类。言及服饰一事，便觉不耐。见衣冠不入时者，从不讪笑。曾自披一御尘埃之敝外衣，冠一破烂草帽，而处实验室中。或闻其讥刺复鞋套与燕尾服诸盛装。七十五岁时，曾出惊人语，谓将着绚色背心与花钮。然卒未实行。不好高冠作态，亦不常挟手套。然西奥伦治游客曾赞其衬衫整洁，几疑为染得教友派（Quaker）矫饰求全之风。爱尝着晚餐短衣，而留照像，神色自若也。及为亨利像揭幕，则服平常午后服，其裤竟绉痕纵横。或云续弦夫人曾影响及其服饰，然亦姑妄听之可耳。

爱性耐少眠。故夜掌电报外，晨昼仍能治他事，并攻读。在波士顿时，办公，读书，实验，共占十八至廿小时。在纽亚克每日仅分眠三四次，次各半小时而已。在门园直不知所谓放工。一八八八年，在西奥伦治改制蜡筒留声机，曾连作五昼夜未息，久为毕生记录。

一九二〇年，马丁记爱事成小册。称《七三翁爱迪生》（*Edison at Seventy-three*）。内云："爱达七三高龄，尚能安眠。眠时从不入梦，从不辗转反侧。盖能于二小时内获休养之益，胜常人六或八小时也。去今未久，仍每日治事近廿四小时。某晨五时半方寝，七时又起。人问倦否。答曰：设未多眠半小时者，当更佳。”

西奥伦治实验室图书馆一凹室内，备一小寝台。爱作苦，辄安然就卧。右颊承于手上。睡熟后，甚难唤醒。

爱之常怪他人多眠，自无足异。一九二四年，八月，晤顾立治大总统时，询顾夫人以总统眠时几何。顾夫人曰："余以为太多。盖午膳后小卧迄四时。入晚又早寝也。"爱最后总结曰："其实少眠不足伤人也。"

爱每好述一事。则曾雇用一自称生平患失眠症者。以其必能长夜工作，因命守一汞抽气机，夜以继昼。历六十小时后，爱离其身畔半小时。及归，而抽气机碎为齑粉。守者已熟睡矣。

爱善以朴质谦和感人。当多年之前，方要求加入费城工程师俱乐部时，曾自陈往绩曰："曾计画一电流集中厂；又设立一小机厂等等。"一九一三年，《独立》杂志征求读者意见，推举十六著名美人，最为民生所不可或无者。爱居首选。名见答案百分之八十七。编者请爱赐稿。爱谢曰：

"贵志读者推举结果既如是，余本不应置议。惟余与余妻深恐此风一长，难免不启余自满之心。今阅名单，见贱名乃与诸贤并列，实已受宠若惊，不知所措矣。”

爱尝自述费城柴尔兹（George W. Childs）宴张伯伦（Joseph Chamberlain），邀其作陪。即乘宾省铁路总经理洛柏兹（Roberts）之专车往。及返抵费站，洛适在旁，坚欲为携提包。爱辞谢不遑曰：“将折杀余矣。此从何说起哉？”

窝棱（Waldo Warren）尝询爱以箴言，为他发明家取法者。爱曰：“若辈自知所事，愈于余所能指告。余无结论可陈，无定律可举。不过日在学习求知之中耳。”

是日爱又沉思而后言曰：“余心以为然，尝试而后知不然者，比比皆是。于是对事物不复如前此之轻易咬定。惟余所能为者，则见有似可为者斯试为之，及知其不可为，而弃之是已。”（以上二则均见一九一一年，七月，《世纪》杂志窝棱“爱迪生论发明与发明家”）

爱之谦逊之风甚至具有地方思想，则偏狭不免可笑。一八八九年，赴法国国际博览会时，已具荣誉团长官资格，复被擢为司令。受一小红徽，爱妻强爱佩之。然爱一见美国人至，辄自襟摘下，恐为取笑也。

一九一三年，九月四日，《独立》杂志窝尔士（G.E. Walsh）“爱迪生实验室共事记”云：爱系诚朴平民式之老人，盖一部分自其滑稽性为言。虽自身趣事，不畏公开。如自纽亚克迁至门园时，赁出其一机厂中机器，历三年不闻动静。再过其地，竟化为逆旅。又曾于革耳克街上设强电弧，欲吓退红番。竟毫无效验。又于门园农家马铃薯蔓上，洒二硫化碳，拟祛新害虫。孰意并薯蔓而亦毁坏。赔偿三百元始寝。

留声机正式成功后四十五年纪念日，同业公赠爱粉像一帧。爱审视久之曰：“余竟类美国上议员。”至其对画家艺术之为褒为贬，则难测矣。西奥伦治实验室内爱之案旁曾悬一漫画。示爱辛勤作苦，及二科学家欲入见，为黑种阍人所阻曰：“先生，彼妖人方深思穷索，不容人阻扰。彼已四日夜未食未卧！”

某英籍作家深佩爱能随时自科学覃思境中一流而入风月间谈，漫不负责。其嗜夸大谈资，诚不脱美人本色。生平随处见及事物之有趣方面，而满腹尽藏趣屑谐语。对于不善滑稽之辈，辄谓为不可解。虽至友如维拉德亦不之恕。至谷尔德之瘠瘦如饿殍状，又不善笑，直若拒人也者。西门子之为赫尔姆霍斯力解美国谐语时，爱见其状格格而笑。又柏格曼为爱制电灯吊，电流计等时，爱曾出三四大张算草示之。谓开放汽笛耗费能力若彼其多。柏竟信以为真，而令厂中不复鸣汽笛。爱又笑之失声。

爱生平趣语当推其分析天才为最。“天才者，百分之一灵感，与百分之九十九汗血也。”此与喀莱尔所云“专于困难中求生活，此超越能量为至上”相合。如此分析，固予中人以解嘲，然究未尽大才之所以为天才。有问爱何不续用某人者。爱答曰：“彼迟缓无比。欲使脱离显微镜视场，且须半小时。”此语则较为人所称道。又费城某教堂询爱新屋应否装防雷针。爱曰：“当然，天公亦有大意时也。”前此费城人弗兰克林初用防雷针。教会斥为冒犯神权，大不敬，故采用其法至迟。今爱语得毋类当日抗议之反响耶？又有人问爱用电结果人命犯如何最好。应曰：“使囚犯出雇于纽约数家电弧灯公司可也。”凡此皆颇脍炙人口。一日，过百老汇路遇其法律顾问而特避之。或问以故。则曰：“俟余查清与彼握手须费几何，然后方敢晤之也。”

顾爱亦非无震怒时。《七三老翁爱迪生》云:“与爱最接近者常感佩其待人之中和与宽忍。实则爱之成功盖亦食是赐也。惟晚近(一九二〇年)竟不免偶用苛。辞时且露恨态焉。”

一九一四年,十月,《工业世界》杂志密拉德(Bailey Millard)“十二大科学家之六:爱迪生”云:“爱忧喜无恒。每于兴高采烈中,忽而沉郁,甚至恚怒。其忍耐性止于其工作而已。对于他人之较鲁钝者,则适得其反。每震怒时,数大机厂内之五千佣工咸称‘老人’今发雷霆,相戒毋近前。日余见爱痛责一工人忘却开足留声机发条。其人畏缩,殊可怜。爱与人争论,激烈如火。且狂呼击案。对方人以爱极重听,又须引吭大呼。故虽和平辩白,亦类狂哄。”

爱在西奥伦治实验所时,曾登报征求制造工程师。有往。应者云:见爱方徘徊室中,声声责问某项实验何无结果。又悻悻然申斥其执行人所拟“下愚”之策。而若辈更迎耳大呼以自解。

爱之治事,有其个人特别方法,固守不变。目的在前,务期必达。他非所问。故不能尽得最接近诸同伙之同情，而尤以研究人员为甚。顾其公正为主，则又为知之最切者所称道弗衰。马罗立至谓世上恐无第二人能得其下死力如是之甚者。其电灯发明品为人窃者，多至七十八种，而能容忍不发，诚大难能。盖有某拉拢专利人，甚狡诈，不向专利局呈案，而私售其专利权于他人。若辈更签缮请求书，竟骗取爱氏工作之专利权。爱自承此实毕生饮恨，永不能已。惟始终不愿宣布该请求人姓氏。但云："宣之何补。余信彼已死。惟或尚有家人在耳。"（见二氏记事录，一卷，三四一面。）

门园办公处楼上设一图书室，备本人共职员之参考。至西奥伦治时，更加扩充。除治事外，爱读书甚多。故世俗每谓爱事事无须预备，不重先例，不信书本学识，皆非也。爱自言除为特别研究而多收多读相关文字外，更旁涉天文，生物，力学，论理，音乐，物理，及政治，经济等。又关心科学界诸期刊及科学团体诸报告等，以期与日俱进。

爱每读一书，辄能精谙其内容。据某助手言，爱尝研制打字机某部机械。因与所有制造家约期送看各式打字机样子，并各派代表为之说明。又从图书馆中调齐关于此项机件之书籍。期前一夕，爱纵览之。及专家莅止，闻爱口讲指画，洞悉靡遗，甚且反能校正若辈之误，皆惊服不置。助手试取爱一夕所览者，按读之，竟十一日之余暇而始毕〔见一九〇五年六月，《世界事业》斯特洛得（French Strother）“现代发明专业”〕。

自为车役时始，即趁车到与车开间，偷空入底城公共图书馆读书。竟读毕数架。及为电报生，而出入旧书肆。尤喜嚣俄之作。至为人称“嚣俄爱迪生”。其后又颇嗜诸家美文学。晚年好大仲马、味纶二家小说，及加波掠（Gaboriau）惊奇说部。对诗，自谓不耐铿锵叶韵之做作，使真意失却。惟于郎非罗（Longfellow）之 *Evangeline*，腾尼孙之 *Enoch Arden* 等，则无间言。谓为真足以代表诗者也。其论莎士比亚，崇为富有观念。且许其苟用心发明事业，必为大家。盖善窥事物之内幕也。

此外爱之文学嗜好，别无所闻。其评时人作品，未闻发表。据云颇重其夫人论调也。

关于爱之成功诀，误解甚多。大要可别为二派：一谓全恃慧心偶现；一谓专赖死力，锲而不舍，事事尝试，终遇一成，其实皆非。爱固有其淘汰法也。出发伊始，不顾理论方面有何困难，遍搜前此所闻，所见，或所为，但求有关于本题者，悉重读之，不遗一字。随命助手试为之，而详载实验录中。某日，欲制一化学混合物，须兼具两种不易得兼之性质。设自已知推至未知，而命化学师先选定最有可合条件之资格之化学品，而后分试之。未尝非正法。惟爱特检瓦特化学辞典，按其所开公式，一一备制。不计有无相当用途。据爱自述结果曰："余求得七种化合物可以合格。及试毕而后知，可作该用者，仅此区区七种而已。"（见一九〇五年，六月，《世界事业》斯特洛得"现代发明事业"）

已故之马克罗麟博士（Dr. R. C. Maclaurin）谓世人或视爱为狭义之实行家则误矣。马曰："爱虽尝自命'纯粹实行家'，以别于斯泰因麦兹'纯粹理论家'，其实戏言耳。无奈报界过甚其词，形容爱如只知科学，不解其他，又如轻蔑前人一切试验成绩，而见物尝试，至巧遇目的为止者。荒谬孰甚。爱诚非理论下奴隶，故对于合理之事，必一试之，亦犹其他科学家也。然爱每试一物，必持之有故。至若盲试，极罕有。必也全无领导之光，而后一遇。"（见一九一五年，五月六日，马于市民

集会前演辞。是日公赠爱以社会服务纪念章）

马又曰：爱之成绩固足以示其对科学之信仰。惟其表现科学方法与实验方法，灿烂罕匹，则更足增长教育之方。马颇注意爱充波士顿电报生时，购读旧法拉第全集一事，谓为影响全球。试思爱创白炽灯时，历验矿物矿苗等一千六百次，以求合用之金属丝。研究碳丝时，遍试六千种不同植物（竹为主）。发展镍铁旧电池时，共试五万次。他如改良电话，留声机及附件，电影照像器等，均竭尽心力。实验录所记，有某助手对爱所特别注意某问题，一人独自举行实验一万五千次之多云。

一言以蔽之，爱以知识广博，钻研深透，工作勤恳而成功。与之相处日久者，更能举其直接理解之长。即彼所自谓“臆度”也。阿普吞（Upton）曰：“余识爱多年，最服其忆中之力。”马罗立曰：“余屡闻爱预计某新机当能生几何效率，并值几何。其言若万无可信之理。及几经试验，而竟成功。”爱所雇某工程师曾言：“爱脑中若藏有一切决定因子，而能随时取用。”当发电机犹在萌芽，爱即知力排陈议，别造新式，减少内抗，得利用所生能至百分之九十。人问何以致之。辄答曰：“余特善猜度耳。”

一九二二年，马丁《爱迪生服务四十年》记云：“或问爱何故定一百十瓦为碳丝灯之标准电压？答曰：顾全铜价，及保持碳丝，使耐高压。如此盘算，因取此数。盖一百十瓦，足保商业上应用，所以至今不废。”

爱曾谓想像生观念，得工业知识，而后可实行。

爱之实验录满载手绘图画。在实验室讨论问题时，或居家夜谈时，爱每见纸张，辄攫取作图。随绘随以铅笔击案，或搔眉。发白而眉仍黑。年高益聋，语音平衍，得重听本色。

演讲极罕。宴后有以此为请，或要求致答词者，几一律推诿，或求代。似此类专门服务人，本可自行组为俱乐部。爱最不解他人如何演说或著书。一九二六年五月十九日，新泽稷省大西洋城全国电灯联合会会场中，邀爱作初次无线电演讲。爱只吐廿二字。其意为：“余无可言。余实初次就此类机中致词。再会！”

惟报界人士入其实验室，或要于途，而请发言，则爱滔滔不绝。自本人发明史，科学批评，实业界预测，以至其他一切问题上之意见，无所不谈。

爱之博得“术士”雅号，早在发明留声机前。迨留声机出世，而名益彰。世俗固欢迎关于爱之一切异能说。报界又从而补充之。爱所恶者，不止信口夸大。盖恶其未尝见本人，而凭空捏造，使不识爱者笑爱为愚也。

此等“科学神话”外，更杂以爱之相传功业史与轶事等，益漫无可稽。顾杂志书籍辄好载之。现代消息灵通至此，尚有当生人之面，而造谣之举。其谣且不胫而走。得非怪事？惟宣传家亦自具解说，则谓爱不免鼓励此行。此而然者，则爱未尽忘情于广告之妙用耳。至爱偶出戏言，而闻者著为庄言正论，亦自有之。出版物过多，爱又安得一一过目而求更正。特遇太过失实者，亦不能不严重抗议耳。

晚年，记者与特别撰述员采访爱氏言论，更络绎不绝。主笔得之而加点缀。七十七岁诞辰，访员共进问题长单，请其笔答。内容如煤与石油告竭后，将何从得原动力？下届当举谁为大总统？对于基本主义者（Fundamentalists）与现代主义者（Modernists），作何批评？舆论对现代女子为过苛否？人类终能与火星通讯否？世界究日进乎，抑日退乎？等等。爱秉笔作答，简洁数语。遂掉头理原业。

美国报纸及杂志多好夸示各界名人之论调。盖美国各方咸视名流之一咳一吐，为无上科律，必含深奥至理也。独其垂询爱者又不为此。实因美国人极重视爱之风趣，崇敬其励人之深心，嗜读其言论，信仰其于专业上之所主张。甚至喜述其成见，自矜与错误，以资谈助。

一九一五年，爱受佛兰克林学会奖章时，刻勒博士（Dr. Harry F. Keller）称述爱之毕生成就。直谓世界各国发明家之享名最广远者，无过爱氏云云。

美国初兴电业时，主张交流与主张直流二派相争执。今则久归平复，无人追道。当时卫斯亭豪斯即属前派。罗易普（Froncis E. Leupp）撰卫传曰："访客追随卫氏左右，欲诱其反对直流健将爱迪生，庶可演出激烈争执，供若辈推销报纸之资。"其实爱之初筹电灯，原拟专限闹市。故信惟低压直流为宜。至于远道输送，彼固以安全保险之交流为尚也。爱不欲呶呶争辩。彼特自有其明确信仰。爱以为供电一事，关乎公共利益。况在发明伊始，知识未充。故已有所知，无不悉宣于众。

爱于专业外，随便谈论所及者，曾激起反响，非其初意所料及。一九二三年，爱预言活动电影将取代学校课本。一时责难蜂起。一九一〇年，论人性之存留问题，而其所钦佩之《脑与人格》一书之著者，已故汤姆孙博士（Dr. William H. Thomson）竟驳其言有极肤浅，极“不合科学”处。谓爱若专据科学事实而反对者，则自暴其太不以脑力发现诸果为重云云。此外亦有斥爱为武断与矛盾者〔见一九一〇年，十一月，十二月，《当代文学》（*Current Literature*）〕。

试阅现存记载，可见爱于言论，向不甚求前后一致。对于专门学校，曾加严责；既而又许为至少可迫青年习其所不愿习（见一九二四年，二月十二日，《纽约民报》）。一九一〇年，爱论人性之残留。一九二三年，送其友人哈定大总统之丧，复发表意见。前后不符，令人莫知适从（见一九二三年，八月十一日，《纽约晚报》，同日，《世界报》；及一九二〇年，十月三十日，《科学的美国人》）。然此中独无科学精神为之乎？谁其敢断言者。斯罗孙（E. E. Slosson）《爱因斯坦浅说》（*Easy Lessons on Einstein*，一九二〇年纽约出版）言：“理论者，工具耳。科学家舍此拾彼，犹匠人舍斧拾凿。求济用而已。何尝顾其矛盾哉。”

据熟知爱者言，爱对宗教持虔敬心，爱又尝曰：“科学止能归结至于随在可见之一大睿智而已。”（见一九一一年，七月，《世纪》杂志，窝梭“爱迪生对于发明与发明家之意见”）总之，爱于宗教，未尝明示意见。惟对基本主义与现代主义两派争执，则谓为神秘时代至事实时代之过渡（见一九二四年，二月十二日，《世界杂志》)。

就各方面而言，爱之轻视所谓死言语，不认为智性修养之工具，与贬抑美国人民之修养程度等，均不足怪。（见二氏记事录，二卷，七六八面。）爱虽酷嗜嚼烟叶，又尝日吸烈性雪茄二十支，顾于纸烟，则深恶痛绝，亦不足怪。惟于数学，竟谓自算术以上，皆无足重。斯不免费解。爱本人不嗜数学，亦缺乏相当训练。但遇需用时，自可请数学家代劳。如阿普吞，垦涅力（Arthur E. Kennelly）等，皆曾与其列，垦后任哈佛大学及马省理工大学电机工程教授。

一九二一年始，爱每出问题汇录，以测验投考为工厂稽查员者。颇为社会注目，亦颇受社会批评。爱欲借此先行甄别，再观成绩。若有进步，即畀以执行或管理之职。在门园时，考试法与此异。有外尔（JH. Vail）者，欲掌发电机室。爱指废铁一堆，命外整理之，使能工作而后已。是堆实系一发电机。外重装设之，至转动自如，遂及格。爱对仪式的社交，不甚注意。至对琐屑的社交，则绝对不挂齿。棱塞雷耳夫人（Mrs. J. K. Van Rensselaer）曾著《社交阶梯》（*The Social Ladder*）。谓“美术家，科学家，教育家，发明家等，执业太忙，不及自求显耀于社交之场，徒增额外负担也”。其爱氏之谓乎？

续配夫人善治家。爱故好家居。爱夫人娴雅淑懿，文才斐然。任美国儿童游戏场协会董事，又热心其他公益。纽约河滨马车道（Riverside Drive）建女杰佐安（Joan of Arc）像，即请爱夫人揭幕。爱氏家中尚有马德林〔Madeline，后为斯罗安夫人（Mrs. John E. Sloan）〕。查理（Charles）学为爱氏事业之继；有提奥多耳（Theodore），元配生二子，曰小托马斯阿尔瓦（Thomas Alva Jr.），曰威廉·勒斯里（William Leslie），一女，马立温嫁德军官。

爱除受各种奖章外，又荣膺三学位。计一八七八年，联合学院名誉哲学博士；一九一五年，普麟斯吞大学科学博士；一九一六年，纽约省大学法学博士。末一学位竟由电话中授予。校长芬雷（J. H. Finley）自奥尔巴尼传语至西奥伦治曰："受学位人并非缺席，只不过远隔耳。"

爱从不以纯粹科学家自居，亦曾受人指摘。惟爱素重制售，必先问新发明品合乎商业行销否，而后致力，此则屡经表白，惟恐人未尽晓。

一九〇五年，六月，《世界事业》杂志斯特洛得"现代发明职业"记爱自解之语曰："余与多数发明家立异处，则在不徒具有发明家之组织，且益以顾全实用之心理。须计及营业上之成功，与经济上之价值。此非得自自然，乃得自几经打击者也。"

一九一一年，七月，《世纪杂志》窝棱记爱语某访员曰："余事事求落实际。从不听余之思想飞越至喜马拉雅山以上。爱谓新发明品，欲其成功，必须极合实用。至波兰犹太人亦愿购，而后可。"

当爱初治发明事业时，内战已戢，国内方聚精蓄锐，谋物质振作。爱善利用众物，善斩他人所视为不可胜之难关，巧思既捷，方法复强，为资本家及大众所渴望。资本家羡其投资易生利，大众则悦其可以解决日用所需。如柏尔电话得爱为增发话器，而后始能发音宏大明晰。故爱名氏镌于柏尔电话器上者，历有年数。及垩柱受话器成，而更予模斯电报以一新音响器。既不须伸缩弹簧，以挽曳电磁石上之衔铁，且并电磁石而可省。时谷尔德方操纵佩治之伸缩弹簧专利权。爱借是援救电报事业脱离谷之毒手。又用同一原理，制成扩音受话器，备电话用。遂证实柏尔受话器对电话之不可或缺，亦犹佩治伸缩弹簧之于电报也。资本家欲避免侵犯利权诸讼事，或欲孤注一掷，唯利是图，当然非罗致爱氏于左右不可。于是社会渐目爱为怪杰，竟锡以“魔术士”之号。

已而更发明留声机，群情愈炽，遂真视为魔术家。爱方待移其留声机作若干实用，又因剖分电流一问题搅入，不得不放弃前念。计自门园发明工厂出而问世者，得白炽灯，燃灯发电机，及其他种种附属设备，共同造成白炽灯中央总厂制。嗣后新兴电器事业与电机工程为用愈演愈广，投资愈增愈多。甚至有人谓爱实发明电者云。

爱自承专向应用科学一方进展。世人不免贬其缺乏纯粹科学精神，未尝为求知而研究科学。然此语殊过当。为此语适足使爱氏地位更明定耳。

一九二二年，爱访纽约省斯刻涅塔狄通用电器公司工厂，大受热烈欢迎。《纽约时报》大书特书，谓为无足怪：

“爱君大发明家也。又善利用发明者也。若徒以科学家目之，固未足以尽其所长。爱君专察社会所缺乏，而竭力以补助之。务永立能收效，而致利。盖天性如是。毕生功业，无不是从。为己为人，双方皆有大裨益也。若纯粹科学云云，彼或亦曾致意。特为时未久，所尝亦未大深耳。”

爱自云，郎格睦耳（Langmuir），辉特尼（Whitney），斯泰因麦兹等，与彼同入某某数途。惟若辈既入，更能远游。彼自愧不如，则限于时也。彼用彼之时间作别图，而受其赐。亦犹若辈之各得其所得也。

爱正因未尝不顾纯粹科学之价值，斯能得丁铎尔，洛治勋爵（Sir Oliver Lodge），赫尔姆霍斯，巴士德，克尔文，斯泰因麦兹等之称颂与推崇。盖惟此辈能真解爱氏工作之价值也。克尔文于物理学造就绝深，对爱工作极为注意，而赞扬惟恐不至。爱六十九诞辰为纽约电光工程会筵之上宾。斯泰因麦兹即席致词曰："爱君之于电工程，学理技术双方，所贡献者，无人能及。"

或谓爱得力于助手者颇多，而助手之功反不彰。此则可资印证于爱之左右最近随从，不攻自破。二氏记事录，一卷，三二四面曰：爱与同侪共事，一律平等相待。互为切磋，而不问上下。更不问计从谁出。但爱观念特富，自能压倒余子全数。故其所得者乃同侪合作，而不必赖若辈外表示意也。

一九一一年，二月十一日，《科学的美国人》阿拆孙"余与爱迪生共事记"，述一八八〇年秋初莅门园所闻见：

"爱君方研究一种电流计，备中央总厂用。余因悉此器需要之亟。欣然自拟一式，而示爱。爱据坐高凳，按臂于图板，注视久之。始仰首曰：'余并不出薪金请君示意于余。君何以竟知余先有是观念耶。余若采用之者，君将谓余为剽窃矣。'余谓在彼雇用中时，所有为彼而设之计，悉属彼有。今因身处彼之实验室，认熟彼之工作需要，故能出此思路。爱取而试行之，竟中看不中用。”

一八九七年，十一月，《马克琉耳》杂志窝忒斯（Theodore Waters）“爱迪生对于铁业之革命”，记马罗立身历之词曰：“余与爱君共事数年，昕夕不离。敢以碾矿新法成绩百分之九十九归功于彼一人。尝闻人言爱专取他人脑力，组织之而供己用。盖厚诬彼矣。”

方爱售出其亚柱受话器专利权于西方联合公司奥吞，得价十万元。特定年收六千元。盖恐一旦收入巨款，又一掷于他项新发明上。自商业家观之，将谓爱特权用其利息耳。若商界肆评爱之商业方针有如是者，则爱之凭己见而批判商界手腕，亦不后人。

凡踪迹爱之生平者，处处可见足以代表美国派大商业道德之事例。如谷尔德之与自动电报公司，其尤著也。谷初订约，以四百万元购入该公司，即移其专利权及财产供私用。所谓专利权，尚连异向二重电报及四重电报在内。已而谷忽否认原约，于是爱之三载特别辛勤，顿成画饼。讼事延长约三十年。虽原告卒胜，曾无实利可收。

爱对窝尔街银行界，不能多予称道。方其委任契诺克（Charles E. Chinnock）巩固其珍珠街总厂之商业地位时，亲允成功后酬劳一万元。契果著成效，爱辄如数酬之。后爱求爱迪生电灯公司分期偿还爱私人为公司利益而垫之款，公司竟不允，而轻轻以万分抱歉了之。对于此类态度，爱惯称之曰："窝尔街之万分抱歉。"（见二氏记事录，一卷，四三六面）爱又述纽约某巨富曾试贿爱十万元，诱其卖电灯业方面诸友。凡此皆爱所疾首痛心。

至关资方待遇发明家者，爱曾谓：

"欲实施一发明而登之于商战之场，必需资本。此则假新发明品而图利之公司所供给。资本家所当为者，在予发明家以一部分利益，而不宜独专。若有发明家，首次发明，获利五万元，遂可周转，续事研制其他。比再发明，价值或更不赀矣。真发明家固当如是。专利权一生轇轕，欲依现行诉讼手续而取直，非发明家力所能为。故已不啻丧失其专利权矣。公司知其弊者，往往借此收取专利权，以填私壑。亦有公司与人争逐时，愿稍资助发明家，使有力护持其专利权。然公司一旦果胜诉者，发明家依旧无所得。余谓法庭应予发明家以保护，免遭资本家欺凌也。"（见一九一一年，七月，《世纪》杂志窝棱"爱迪生论发明与发明家"）

爱生平对经商例事无缘。在纽亚克初制行市揭价机时，每遇应收帐单，悉贯于一钩上，应付帐单，另贯于一钩上。而听公证人宣布一切票据为无可收付。此法简捷了当，人人满意。惟寻遇必要时，仍雇用簿记员。三月后，该员报盈三千元。爱大喜，邀若干人员与宴。居二日，该员重陈改正清单，则竟亏五百元。爱颇悔庆祝太早。惟悔亦至暂。盖二度校正，实盈七千余元。爱提及两钩简法，辄呈自负状。诚不为无因。

居门园日，往往迟复人书至数日之久。又当营业部人员意欲与商要公时，彼竟睡去。惟不视事则已，一视事，当机立断，曾无迟疑。若论营业广义，爱确自显大有作为。普通商人不能先见电力运输之必将发达，彼独能之。其推行电灯制时，制造各主要部分，规模实大，有甚高商业价值。及迁西奥伦治后，以爱迪生名义，经营若干实业。躬亲督察，治理井然。至碾矿计画之失败，乃由天定。既无从预防，更非人力所能挽回也。其攻究新难题之神勇，更多足称。举综合煸醇一例，可概其余。

爱果致富，惟爱非为欲富而致富。不然，其富且益甚。一八七九年，某记者语爱曰：“君若能用电光代煤气灯，则致富必矣。”爱答曰：“余固非醉心于致富者也。”〔见一九一三年，纽约出版布朗（H. C.Brown）《纽约旧观》〕著名经济学者陶息格教授（Prof F. W. Taussig）曰：“爱虽亦尝为名利心所动，顾其勤劳刻苦之本能，实左右其毕生事业也。”又曰：“我侪深深沉浸于今日个人社会之制下，假若一旦情形全变，将不知所措矣。似爱君者，某方倾向特别强有力；此类罕见之才遇环境全变时，将取若何态度，尚较易揣测。惟亦难必。设投爱君于集群社会（Collectivist Society）中，彼将以何为己任？其成就将较大，抑较微？是皆无从明白置答者也。”（见一九一二年，八月，《经济季刊》）

爱之奉工作二字为毕生圭臬，与不因致富本身而致富，皆曾为美邦人树范，至今未替。其一丝不苟之精神，如拟样，选材，用人，监制，推销诸方，必求能达最高标准，亦他人所极应取法。爱从未有意降低其出货之品质。故货身一载本人签押为商标，即精善之保证。宜爱之动辄引以自豪。凡奇巧而无裨实用之物，爱从不保证之。又视改良工作，与始创工作，同重要。每察所制品，有未尽切实用处，辄暂行收回。故经销处常闻私议曰：

“老人”何求工乃尔？以视今日号称文明之新工厂，多制赝品，劣品，次品者，则爱之高尚为何如哉？

据马克罗麟专家证明，爱尚于他方尽力。

“举世咸受爱赐。顾教育界，尤推工业学校，更特别受惠。除闻爱批评指导与建议外，除得爱金钱援助以充分研究外，要归功于得爱之深大感化力为最。爱本人足当一无上教育机关，垂数十年。激发青年志士，起而钻研科学，以求造福人类。美国正待大行实用科学之日，出此中心领袖人物，诚大幸事。爱之举措，无往而不受人注意。则其影响于时人想像力者，伟大岂待言哉。”

《独立周报》征答最有用美国人名时，揭晓后各附理由，足以代表有知识民众对爱之见地一斑。兹录数则于次：

“爱之名氏在全单内盖居唯一不可磨灭不可减削之地位。天生勤奋，又绝善发明，更无他人能一身兼之。”

“十九世纪以发明而改造文明生活者，爱其魁首也。”

“若无斯奇才，世界直沉闷无乐趣。”

“爱君之外，更无爱君。所谓一世纪中唯一发明家也。全世界人类坐受其赐者，奚止千百万哉。”

“彼切实证明：发明天才，可用于高尚目的，高出区区致富一途多多矣。”

“人类有史以来，以一人之力，贡献于物质文明，更指示他人起而步武者，更无过斯人。”

“以严格的有用之人而论彼固当居首席。微其助者，今日诸企业多不能收其既收之效。”（以上均见一九一三年，五月一日，《独立周报》）更有某热心公民对爱景仰尤深。著者曾向其称述世人推崇爱氏之烈；彼不觉破口呼曰：“是无怪其然。彼直使世界日进者也！”

爱氏既赢举世想像家之信仰，终身持而不失。当其参加电业与实业展览会，执行开幕礼时，又重温旧日惊人之举。爱虽屡次声明脱离发明生活，而终未全脱离。此则非他人所能知。

一九二四年，五月十四日，《纽约时报》社论，言及先一日爱为扬名堂亨利胸像行揭幕礼曰：“昨日与会中人，殆不免默念同侪孰有共众像永垂不朽之资格者。实则来宾中至少有一人将膺斯荣。即躬向亨利致敬之人，行且共亨利永垂不朽也。”

三联经典文库第二辑简目

《游击战教程》　明凡 / 著

《游击战术纲要》　陶剑青 / 编著

《汪精卫卖国的理论与实践》　钱俊瑞 / 著

《抗战以来》　韬奋 / 著

《陕行纪实》　楚云 / 著

《随军散记》　沙汀 / 著

《被日寇囚系半载记》　王研石 / 著

《倭营历险记》　房沧浪 / 著

《活跃的新西北》　田影 / 编著

《保卫华北的游击战》　刘清扬　陈北鸥等 / 著

《徐州突围》　《徐州突围》编委会 / 编

《沦亡的平津》　长江　小方等 / 著

《淞沪火线上》　胡兰畦等 / 著

《瞻回东战场》　长江　罗平 / 著

《东线的撤退》　胡兰畦等 / 著

《抗战中的西北》　徐盈 / 著

《鲁闽风云》　徐盈等 / 著

《西线生活》　西北战地服务团集体创作

《中国解放区见闻》　［美］福尔曼著 / 朱进译

《全面抗战论》　潘汉年 / 著

《日本的间谍》　范士白自述 / 尊闻译

《日本大陆政策的真面目》　国难资料编辑社 / 编

《民众动员论》　李公朴 / 著

《中国外交史》　钱亦石 / 编著

《太平洋军事地理》　蒋震华 / 著

《世界经济地理讲话》　思慕 / 著

《列强军力论》　［德］马克斯 · 威纳尔著 / 宾符　仲持　梅益等译

《近代国际关系史》　张铁生 / 著

《太平洋现势手册》　沈志远　石啸冲 / 编著

《近代世界政治史》　钱亦石 / 著

《从战争到和平——一九四五年的世界政治》　乔木 / 著

《战后日本问题》　思慕 / 著

《最近一年间的国际动态（1946.7–1947.6)》　《东北日报》社 / 编

《论政党》　翟放 / 著

《法与宪法》　韩幽桐 / 编著

《中华民国宪法刍议》　罗家衡 / 著

《民主 · 宪法 · 人权——作之民》　费孝通 / 著

《宪法论初步》　潘念之 / 著

《对反民主的抗争》　韬奋 / 著

《农村改进的理论与实际》　江恒源 / 著

《上海产业与上海职工》（上下）　　朱邦兴　胡林阁　徐声 / 合编

《陶行知教育论文选辑》　　陶行知著 / 方与严编

《中国通货膨胀论》　　杨培新 / 著

《中国及其未完成的革命》　　H·普拉特著 / 蒋天佐译

《中国的建设问题与人的训练》　　卢作孚 / 著

《论中国特殊性及其他》　　艾思奇 / 著

《中国经济问题讲话》　　钱俊瑞　徐雪寒　王渔邨　姜君辰　骆耕漠 / 合著

《中国经济的道路》　　许涤新 / 著

《中国财政之病态及其批判》　　孙怀仁 / 著

《官僚资本论》　　许涤新 / 著

《五四运动之史的评价》　　陈端志 / 著

《中国通史简编》（上下）　　中国历史研究会　范文澜 / 主编

《论文学的工农兵方向——读〈在延安文艺座谈会上的讲话〉》　雪苇 / 著

《中国近代史（上编　第一分册）》　　武波 / 编著

《文学百题》　　傅东华 / 编

《中国史学之进化》　　周谷城 / 著

《论民族形式问题》　　胡风 / 著

《论批评》　　荃麟等 / 著

《中国史纲》（第一卷上下、第二卷上下）　　翦伯赞 / 著

《近代中国思想学说史》（1–4）　　侯外庐 / 著

《中国政治思想史》（上下）　吕振羽 / 著

《中国哲学史纲要》　向林冰 / 著

《中国政治史讲话》　钱亦石 / 著

《中国社会经济史纲》　王渔邨 / 著

《新财政学大纲》　千家驹 / 著

《太平天国革命运动论文集——金田起义百周年纪念》

华北大学历史研究室 / 编

《理性与自由——文化思想批评论文集》　胡绳 / 著

《战斗者的诗人》　黄药眠 / 著

《国语文法》　曹朴 / 著

《教育哲学》　张栗原 / 著

《妇女问题讲话》　杜君慧 / 著

《婚姻 · 子女 · 继承》　沙千里 / 著

《性教育新论》　布士克　雅各生合著 / 董秋斯译

《狱中杂感》　杜重远 / 著

《七人之狱》　沙千里 / 著

《爱迪生传》　伍况甫 / 译

《歌德自传》（上下）　歌德著 / 思慕译

《尼赫鲁自传》　［印度］尼赫鲁著 / 毕来译

《列宁传》　［苏］凯尔任采夫著 / 企程　朔望译

《罗斯福总统传》　C. Mackenzie 著 / 张尚之译

《托尔斯泰传》（1–3）　［英］阿尔麦 · 莫德著 / 徐迟译

《革命文豪高尔基》　［美］亚历山大·康恩著 / 韬奋编译

《鲁迅纪念特辑》　新中国文艺社 / 编

《回忆鲁迅先生》　萧红 / 著

《人民文豪鲁迅》　平心 / 著

《亡友鲁迅印象记》　许寿裳 / 著

《鲁迅思想研究》　何干之 / 著

《鲁迅研究》　夏征农 / 编

《过来的时代：鲁迅论及其他》　雪峰 / 著

《电影戏剧表演术》　洪深 / 著

《日常心理漫谈》　［美］约瑟夫·查斯特罗著 / 曾宝施译

《心理常识漫话》　朱智贤　杨云美 / 著

《读书的方法与经验》　王任叔 / 著

《美国黑人生活纪实》　［美］加德维尔　斯坦倍克著 / 董秋斯译

《初访美国》　费孝通 / 著

《事业与成功》　［美］马尔腾著 / 汪原放译

《萍踪寄语（初集）》　韬奋 / 著

《一生的幸福前途——〈生活周刊〉信箱选集》　生活书店 / 编选

《深刻的印象》　生活周刊社 / 编

《海外的感受》　生活书店编译所 / 编